BULLAÍ MHÁRTAIN

A

32 / VII / 13

BULLAÍ MHÁRTAIN

SÍLE NÍ CHÉILEACHAIR AGUS

DONNCHA Ó CÉILEACHAIR

SÁIRSÉAL AGUS DILL

BAILE ÁTHA CLIATH

An Chéad Chló 1955

SAOTHAR EILE LE DONNCHA Ó CÉILEACHAIR

DIALANN OILITHRIGH

CLÁR

le Síle ní Chéileachair

le Donncha ó Céileachair

do
DHÓNALL Ó CORCORA
a mhúin sinn

BULLAÍ MHÁRTAIN

AR DHUL as radharc tí a athar dó lig sé glam as. Nós aige ab ea é sin i gcónaí nuair a bheadh sé ag dul ar rince. Má bhí teaspach air níor le díomhaointeas é. Ar feadh an lae, cé gurbh é an Domhnach féin é, ní raibh stad air ach ag obair. Ghlan sé amach an cró mór agus na stáblaí. Thug sé féar chun na seascaíoch agus chun na gcapall. Chrúigh sé na ba bleachta. Mar bharr ar sin bhí air sciuird a thabhairt go dtí an taobh eile de chnoc i ndiaidh caoirigh, agus tá fhios ag an saol gur mór an brácadh bheith ag siúl sléibhe in eireaball na Samhna. Ní raibh aon bheann ag Bullaí Mhártain ar obair, ar bhrácáil, ná ar bháisteach. Ba dheacra go mór a thagadh sé air é féin a ní agus a cheann a chíoradh i gcomhair Aifrinn nó rince.

An oíche seo bhí sé cíortha go maith agus bóna nua ina choilg-sheasamh air. Ach bhí a bhróga *Wellington* fágtha air aige. Péire nua ab ea iad a bhí oiriúnach a ndóthain don rangás. Bhí láthair an rangáis i bhfad uaidh, deich míle de bhóthar plodaigh le dul aige go halla an Bhaile Dhuibh. Bhí an fhána leis agus an rothar go maith. Mar chosaint dá chulaith bhí casóg aonaigh a athar air. Bhí hata íle ag clúdach an chaipín aige. Ba bhreá ciall-

7

mhar an feisteas a bhí air seachas gaigí an achréidh.
Bheadh an halla lán acusan anocht. B'fhurasta iad a
aithint. A leidhcíní bróg faoina n-ascaill acu. A gcaipíní
á mbaint díobh acu, agus gan aon náire orthu i dtaobh
scáinteachta a ngruaige smeartha. Cailíní an pharóiste
ag briseadh a gcos i ndiaidh na ' gcléireach bainc ' seo.
An gob a bheadh ar iníonacha Bheití ag cur tuin ar a
dteangain le barr ómóis. Ní haon ómós a thaispeánfadh
an Bullaí dóibh ach iad a chur in ainm an diabhail. Bhí
an chuid ab fhearr acu buailte aige. Ní dheachaigh saor
uaidh ach an méid nár roghnaigh seasamh ina choinne.
Bíodh a ngothaí acu agus a ngalántacht. Cad is fiú
priocaireacht rince agus gaigíocht le taobh an neart a
bhíonn i bhfir de Chlann Mháille.

Bhíodh a athair, Mártan Mór, sa tarr air i dtaobh
bheith ag bruíon ar rincí. Ní maith a tháinig sin dó.
Dá bhfaigheadh sé fear éiste níor bhreátha leis caitheamh
aimsire a bheadh aige ná ag cur síos ar na spairní móra
a sheasaimh sé féin ina lá . Agus a sheanathair, Uilliam
Gargaire, go ndéana Dia trócaire air, nár thug sé an *sway* ó
na seacht n-aontaí leis ? Casadh na fir bhata ab fhearr air
ach ní raibh fear a bhuailte ann. Ba dhóbair dó aon oíche
amháin, má b'fhíor do na seanchaithe. Is amhlaidh a rug
an slua sí leo é chun troid thar a gceann in aghaidh phúcaí
Laighean. Ba mhaith an mhaise dhóibh go raibh sé acu
an oíche úd mar bhí fear rua as Cill Choinnigh ag déanamh
éirligh faoi agus thairis. Socraíodh stad den chath agus
go dtroidfeadh an bheirt thar ceann an dá shlua sí.
Thugadar aghaidh ar a chéile agus ba chlos míle ón ionad
sin glór na mbataí sa bhualadh agus sa chosaint. Ansin

gan choinne leis stad an fear rua i lár buille, chúlaigh agus thug ath-áladh gur bhuail an Gargaire sa leiceann, agus gur threascair ar a leathghlúin é. Ach níor thúisce síos é ná bhí sé suas arís agus an colg in uachtar an uchta aige. Tharraing sé stráiméad santach. Chuir an fear rua de é. Gan staonadh dá ráig seo ar ais é leis an gcúlbhuille. Ní raibh uain ag an bhfear eile a gharda ardú agus haimsíodh sa bhaithis é. Thit sé ina phleist. Daonnaí ab ea é, a bhí tabhartha ag púcaí Laighean leo ag treisiú leo féin. Maidin lá arna mhárach bhí sé fuar marbh sa leaba roimh a mhuintir agus braonacha fola lena shrón.

Ba dhiabhail iad na seanbhuachaillí. Ní fhéadfá leiciméirí na haimsire seo a chur suas ná anuas leo. Má tá éinne amháin anois ann a bheadh inchurtha leo, is é Bullaí ó Máille an té sin. Luíonn sé amach ar an rothar agus ligeann liú fiaigh.

Sa teach tábhairne ar imeall an achréidh bhí an Máistir Scoile agus cuairteoir ag ól i gan fhios. Bhíodar ag cur síos de ghlór íseal le fear an ósta ar ghnótha móra cogaidh agus con. Léim ruifíneach chucu isteach doras na cúlchistine. Balcaire teann garbh a raibh a ucht ag borradh faoina chasóg fhliuch. Ní raibh fáilte roimhe, ach ina dhiaidh sin bhí sásamh ar an triúr nár Gharda a bhí ann.

' Piúnt a Thomáis,' ar seisean ag preabadh scillinge ar an gcuntar. Níor lú leis an óstóir an sioc ná cábóga cnoic a bheith ag glaoch as a ainm air. Ghaibh sé a leithscéal go béasach leis an mbeirt, rug ar cheirt, agus tháinig anall go mall toirtéiseach. Nuair a bhí sé os comhair an stróinséara :

' Cé scaoil tusa isteach nó an gan cead ataoi anseo ? '

' Ná fuilimse chomh maith d'fhear le éinne de na sodra-
máin go mbíonn doras ar laiste agat rompu ? ' Bhí
faobhar air ag cur na ceiste seo i dtreo nár mhaise leis
an óstóir freagra díreach a thabhairt uirthi. Cé go raibh
sé lán de bhroimnéis bhrúigh sé faoi, agus labhair sé ar
an nós fuar oifigiúil a bhí cleachtaithe aige.

' An taistealaí sa teach seo thú?' Ba é an freagra a thug
sé air sin a lámh a shíneadh i dtreo an Mháistir. Thug sé
coiscéim ina threo.

' Imigh ! Imigh ! Imigh as seo ! ' arsa an t-óstóir,
an fhoighne caite aige.

' Den uair dheireannach, a Thomáis, an líonfaidh tú
mo phiúnt dom ? '

' Imigh ! Imigh as seo ! Na Gardaí—ní bhíd
choíche— ' Thug an fear óg drochfhéachaint air. Ansin
chas sé timpeall, rug ar ghloine an Mháistir, agus rinne
smidiríní dhe ar an talamh. Tháinig sceon i súile chom-
rádaí an Mháistir. Thug an fear óg faoi deara é. Chroith
sé a ghuaille chuige ag tairiscint trialach. Nuair ná raibh
sin le fáil aige, shín sé amach a lámh, bhain an gloine as
láimh an duine uasail scanraithe, agus rinne smidiríní de
mar an gcéanna. Chuir sé gáire fonóide as agus shiúil
amach an treo óna dtáinig sé.

Bhí an dúlíon daoine an oíche sin i Halla an Bhaile
Dhuibh. Oscailt nua ab ea í tar éis leathbhliain a bheith
caite á mhéadú agus á dheisiú. Bhí fógra ard neonshoilse
in airde lasmuigh agus an mana seo air, airde fir go
rábach i ngach litir : *THE NEW ARCADIA, BALLY-*

DUFF. Laistigh bhí landaeirí sí agus páipéir dhaite. Na cliatháin clúdaithe le painéil bhréagdharaí : an t-urlár le brící d'adhmad mápla Cheanada. Bhí banna ceoil ann ó Ghaillimh, dath gorm uibh lachan ar a sicéadaí, brístí geala orthu, agus snas airgeata ar a n-uirlisí. Oíche chroídhílis ab ea í ag gaigí na sráide agus ag a bpáirtnéirí. Bhíodar faoi ardú meanman. Gluaiseacht eisiúil fúthu. Stíl fá leith rince acu. Focail fá leith acu á labhairt le chéile agus nathanna nua-aimseartha. An rud ab iontaí ar fad an mheidhil choiteann a bhí ar gach éinne acu. Chuireadh an drumadóir leathcheann air féin agus nochtadh a dhéad. Nuair a fhéachfá bhíodh an gotha céanna ar gach aon rinceoir ar fuaid an halla. Tráth a théadh an ceol i mire chroitheadh an drumadóir a ghéaga ar shlí ba léanmhar le feiscint. Bhíodh a chabhail ag preabadh mar bheadh lingeán faoi, a uilleanna ag imeacht mar sciathán éin i dtús eitilte. Thógadh an stiúrthóir an galar uaidh, agus fear an trúmpa. D'imíodh an ceol ar buile, agus d'imíodh an galar ar fuaid an urláir in éineacht leis an gceol. Bhíodh na damhsóirí le chéile ag suathadh a nglúna agus a n-uilleanna, a gceann ag gotháil, gan aon chnámh leo ag fanacht ina áit féin ach ag preabarnaigh go hiontach. Ag dul i léithe agus i ngile a bhí an mheidhil i rith an ama, agus ag dul in airde a bhí an rangás.

Cé gur mhór an slua a bhí ar an urlár bhí nach mór a oiread eile daoine sa halla. Bhí mórán ban ar na taobhshuíocháin, dealramh ciúin dáiríre orthu, a mbéal druidte, gan ag corraí dhíobh ach na súile. Idir gach dhá rince d'aistrídís ó áit go háit nó hiarrtaí cuid acu dul ag rince. Ach bhíodh na suíocháin lán acu i gcónaí. I mbun an

halla bhí gasra láidir fear. Bhí an oiread sin ann díobh gur
ina seasamh a bhí a bhformhór agus iad ag cúngú slí
ar lucht an rince. Bhí glas-stócaigh ina measc ná raibh de
éadan fós orthu dul ag rince i halla. Fir stóinsithe chrua-
chneasacha tromlach na coda eile. Bhí Bullaí Mhártain
ar dhuine acu thiar ar deireadh ar fad. Bhí sé ag faire
ar an scléip agus in ainm agus a bheith ag comhrá leis an
bhfear taobh leis. Ar an ardú táille a bhíodar ag caint,
agus ar ghliceas fear an halla. Ba é a meas nár ghá an
forcamás go léir, go ndéanfadh áit ba shaoire an gnó.
Fastaím a thugadar ar na landaeirí agus ar fheisteas
ildathach an bhanna.

B'fhearr le Bullaí a fhear gaoil, Seán ó Máille, a fheiscint
ná ceoltóir iasachta ar bith. Is mó sceadshúil a thug sé i
dtreo an dorais ach ní raibh Seán ag teacht. Ba thrua sin.
Dhéanfadh Seán tacaíocht dó dá n-éiríodh aon chaismirt.
Ní hamhlaidh, dáiríre, a bhí aon ghá ag Bullaí le fear
taca. Nár chnag sé iad uile mar ráiníodar leis ! Agus ná
raibh Pádraig Fada scanraithe aige ! Ní thiocfadh sé siúd
anocht ach oiread leis an oíche dheireannach a bhí an
halla ar oscailt. Sin é an saghas iad gaiscígh mhóra an
achréidh. Ní ligeann an eagla dhóibh srón a chur thar
abhainn i leith nuair dhrannann Bullaí Mhártain leo.
Cinnte bheadh Seán ó Máille taobh éigin lasmuigh, ach
ba shuaimhneas aigne dhó é bheith feicthe aige.

Do hosclaíodh an doras agus shiúil triúr d'fheara móra
isteach, Pádraig Fada agus beirt chomrádaí leis anoir
thar abhainn. Bhíodar ar feadh scathaimh ina mbulla
dall ag na soilse. Le saghas neirbhíse bhíodar ag díriú
a mbóna agus ag socrú roiceanna beaga ar a gcultacha

galánta. D'fhéach fir bhun an halla go géar orthu agus ansin d'iompaíodar timpeall féachaint conas mar bhí ag Bullaí Mhártain. Bhí sé go dúr stalcach. Ón seanaithne a bhí acu air rinneadar amach go raibh drochobair á tuar.

Nuair thosnaigh an chéad rince eile chuaigh Pádraig Fada agus an bheirt ar an urlár. Cheap an Bullaí a fhaill. Trí chúinne a bhéil thug cuireadh don bhfear ina aice dul amach go cuntar an óil. Níorbh é an deoch ba phráinn leis, ach bhí dóchas láidir aige gur san áit sin a bheadh Seán ó Máille. Tar éis moill thrí buidéal d'fhilleadar agus Seán leo. Is ar éigin a thugadar uathu a bpasanna le sotal agus 'ná raibh maith.' Ghabhadar ionad in imeall na rinceoirí, a lámha ina bpócaí, a gcosa spréite, cnapán ar gach guala leo, agus na caipíní ar leibhéal na súl. Sheasadar ansin. Do lean rince ar rince. Níor labhradar ná níor bheannaíodar ná níor sméideadar. Mar dhealbha a bhíodar, gach pioc díobh ach na súile. Níor imigh uathu sin aon chor dár chuir Pádraig Fada de.

Tamall dóibh mar sin nuair baineadh stad as Bullaí. Le linn do Phádraig bheith sa cheann eile den halla ab ea é. Is amhlaidh a snag an ceol i lár casadh, agus stad na damhsóirí ar a gcéim ag coimeád tomhais. Le linn an mheandair sin thug cailín Bullaí fá deara agus thug Bullaí fá deara í. Agus í ag féachaint thar guala a páirtnéara, is é a thug sí chun a chuimhne caora sléibhe a mbéarfaí uirthi i ngarraí curaíochta. Comharsa ab ea í, iníon chríonna Bheití. Togha cailín oibre ach go raibh sí tógtha le héirí in airde ó thosnaigh 'Dochtúir' Pheaidí Dhomhnaill ar bheith á tóraíocht. Dá mba dochtúir

ceart é cár mhiste ? Ach bhí a fhios ag an saol go raibh
sé ag feitheamh le ath-thriail. Bhí daoine ann adéarfadh
nárbh aon chúnamh dá scrúdú an méid aimsire a chaith-
eadh sé i dteannta Áine Bheití. Ach bhí Áine álainn.
Chúb Bullaí Mhártain roimh a súile gorma áille. Cé
nár luigh siad air ach faid mheandair ba fhaoiseamh dó
nuair sciob athchasadh an cheoil chun siúil arís iad. Sa
mheandar sin líon a malaí agus a héadan le doicheall.
Chun ceart a chur ina cheart bhí bunús maith aici. Nár
chnag Bullaí an 'Dochtúir' go déanach ? Chun ceart a
dhéanamh arís ní raibh leigheas ag Bullaí air, agus bíonn
mná míréasúnta nuair is leannán a bhíonn i dtreis.

Tharla go raibh an chuid ba dheiliúsaí de gharsúin an
chnoic ag an gcrosbhóthar oíche, agus iad ag glaoch as
leath deiridh an 'Dochtúra.' D'éirigh sé amach chun na
ngarsún. An ruidín coilgneach ! Ní leomhfadh Bullaí
go ngabhfadh aon stróinséir ar óga a bhaile féin. Chnag
sé an 'Dochtúir.' Níor ghá buille láidir. Ina dhiaidh sin
agus uile chuaigh sé dian air é bhualadh in aon chor. Ní
bhuailfeadh leis, ach ná raibh leigheas air. Bhí a fhios aige
Áine a bheith ag faire faoi cheilt. B'shin é brí an
doichill sna súile.

Le linn an tsosa idir dhá rince ní raibh suíochán ag
Pádraig Fada. Sheas sé i bhfad síos sa halla agus dhearg
toitín. Leis an láimh eile thosnaigh sé ag cuimilt allais dá
éadan le hainceasúir nua. Bhí cuma an tsuilt air, agus ba
léir gur thaitn leis bheith ina sheasamh leis féin agus gach
éinne á thabhairt fá deara, a airde agus a chumthacht.
Anois agus arís sméideadh sé ar chara leis, d'fhéachadh suas

ar na soilse ar ais, agus dhéanadh cnead bheag ardnósach
ina shróin. Níor thug sé aon aird in aon chor ar na trí
dealbha cnapánacha, ramharmhuinéalacha taobh leis. Is
amhlaidh a bhí an triúr seo fós gan cor a chur díobh.
Nuair a sheas Pádraig Fada in aice leo d'fhéadfá fritheamh
na lampaí a fheiscint i ngealacán a súile. Ansin, duine ar
dhuine, thógadar na lámha aníos as na pócaí agus d'fhill-
eadar ar a n-ucht iad.

D'fhonn éagsúlachta glaodh amach ' bháls den sean-
déanamh ' agus ' gaibh agam.' Roinnt lánúna pósta a
bhí ann, siúd ar an urlár leo go spleodrach agus iad ag
casadh agus ag athchasadh chomh grástúil agus a bhí sé
ina gcosa. Na cúplaí óga, ámh, rinneadar rince mall nua-
aimseartha dá gcuid féin. Ba den dream óg an ' Dochtúir '
agus Áine. Bhíodar ag dul síos deiseal an halla ar luas
seilide. Bhí smigín Áine buailte ar chába a shicéid sin.
Dealramh tostach míshonnmhar orthu, mar bheidís ag
feitheamh leis an chéad rince eile, a bheadh níos mó chun
a dtoile. I bhfad uaidh chonaic Pádraig Fada ag teacht iad.
Mhúch sé an toitín faoina bhróig agus shocraigh é féin.
Agus an bheirt rinceoirí ag gabháil thairis sháigh sé a
lámh mhór amach gur rug ar ghuala ar an ' Dochtúir.'
Dhírigh seisean ach níor iompaigh sé a cheann.

' Gaibh agam ! ' arsa Pádraig go brostaitheach agus
chroith sé an ghuala. D'ísligh an ' Dochtúir ' fán gcrúca
agus shleamhnaigh uaidh. I rith an ama níor fhág smig
Áine an t-ionad sosa a bhí aici sa tsicéid. Dheargaigh
Pádraig toisc go raibh air scaoileadh leo. Ansin dhírigh
sé é féin, d'fháisc a lámha agus chnead trí huaire trína
shróin. Ní ardnós a bhí le braith ar an gcneadach seo ach

15

B

straidhn bhuile. Sar a raibh uain aige a aigne a dhéanamh
suas cuireadh isteach air. Tugadh sonc nimhneach dó
sna heasnacha. Ar a fhéachaint síos chonaic sé aghaidh
chruinn ghuaireach Bhullaí Mhártain, na súile beaga lán
de naimhdeas. Bhí na fiacla fáiscithe ag Bullaí agus é ag
caint :

‘ Cad é mar ghnó salach agat bheith ag cur isteach ar
ghearrchailí óm bhailese ? ’ Thaispeán an fear eile lena
iompar nárbh fhiú leis bheith suas agus anuas le bastún
sléibhe. Lean an Máilleach air :

‘ Thugas fógra cheana dhuit gan bheith ag teacht anseo
id bhambairne led chrúba rómhóra chun bheith ag satailt
ar dhaoine.’ Fós ní thug an fear fada aird air ach ag
iarraidh iompáil uaidh. Rug Bullaí ar eireaball a chasóige
agus thosnaigh á stathadh.

‘ Iarraim cúis ort, iarraim cúis, iarraim cúis ! ’ ar
seisean de ghlór impíoch. Go mall staidéartha d’iompaigh
Pádraig Fada agus de bhun tolaigh chaith sé seile san
aghaidh ar Bhullaí Mhártain. Ní fhaca na rinceoirí é.
Ní ar an ngairgeacht seo a bhí a n-aire. Ach chonaic na
neamhrinceoirí stóinsithe gach aon phioc di. Bhíodar
tar éis spás a oscailt don bheirt agus ag an am céanna bailiú
timpeall orthu i bhfoirm fáinne. Ba léir coinneal i súile
mórán acu le cíocras chun gleo.

‘ Mairbh é, mairbh é,’ a ghríosaigh beirt nó triúr ón
gcnoc. Ní raibh a nglór ró-ard, mar bheadh leatheagla
orthu. Tháinig beirt charad Phádraig i láthair agus
ceathrar nó cúigear eile ina ndiaidh aniar. Ní dhearnadar
aon fhothrom ach thug a súile spreagadh dá gcuradh.

‘ Buail é, buail é a Bhullaí,’ arsa Seán ó Máille, agus

16

b'é an t-aon duine a ardaigh a ghlór os cionn ceoil an bhanna. Ach bhí Bullaí ag ligint na haimsire thairis. Bhí sé ag cosaráil timpeall sa spás oscailte. Bhí Pádraig ag sáitheadh a theangan chuige ach níor thóg Bullaí aon cheann de sin. Ba dhóigh leat go raibh an fhearg ag imeacht de. Gan aon chúis dar leat stad sé ina shiúl, chuir cos i dtaca agus thug rúid. Bhí a cheann roimhe amach aige, a shúile dúnta, agus a dhá dhorn ag bualadh an aeir mar bheadh sé ag seinnt druma mhóir. Ba mhaith an mhaise ag Pádraig Fada é. Tharraing sé buille fada aniar ó chúl na gualann agus bhí Bullaí Mhártain buailte sa leathcheann aige sar a raibh seisean in aon chor i raon a dhoirne féin. Cuireadh Bullaí dá threoir agus d'imigh sé thar Phádraig amach.

' Hó-hú, sin dornálaíocht díbh,' arsa lucht leanta Phádraig, a nglór ag teacht chucu. Bhí seisean á ullmhú féin chun buille eile a tharraingt leis an láimh chéanna. Buille gualann eile agus mheas sé iomlán a nirt a chur sa cheann seo. Lig géim as féin leis an straidhn a bhí air. Ar ámharaí an tsaoil bhí Bullaí ag casadh timpeall. D'imigh an buille mór folamh. Le fórsa an bhuille chuaigh Pádraig Fada ag longadaigh ina dhiaidh. Bhuail a chabhail i gcoinne cholainn stóinsithe a chéile comhraic. D'fhanadar mar sin ina luí i gcoinne a chéile go tútach. Aon rud ba neamhchosúla le dornálaíocht ní fhéadfadh a bheith. Thosnaigh an slua á ngríosadh. Mar gur ghiorra géag Bhullaí is aige ba thúisce a bhí a bhuille ullamh. Tharraing sé agus bhuail an chabhail mhór roimhe amach i mbéal an chléibh. Lúb an fear fada ag na ceathrúna agus thit chun tosaigh ar a dhearnacha.

' Mo ghraidhn tú, a Mháilligh, mo ghraidhn go deo tú ! ' Tháinig Bullaí suas le Pádraig mar a raibh sé ar a chromadh agus thug smeádar sa leiceann dó, agus ceann eile, agus ceann eile.

' Buille fill, buille fill ! ' a liúigh comrádaí Phádraig. Léim sé trí na fir eile agus buidéal folamh leanna á bheartú aige. Bhí Pádraig titithe go talamh agus Bullaí cromtha os a chionn á leadradh. Mar bhuaileadh búistéirí na seanaimsire mart le tua bhuail an comrádaí Bullaí Mhártain. Rinne an buidéal blosc toll ar chnámh cúil a chinn. Thit Bullaí ina phleist anuas ar Phádraig. Ní raibh an buille sin ach buailte nuair a bhí Seán ó Máille istigh agus an comrádaí cnagtha aige fan cluaise.

' Éirigh, éirigh, a Mháilligh,' a liúigh Seán. ' Éirigh ! Cuimhnigh ar t'athair ! ' Níor ligeadh dó dul níos sia mar chuaigh triúr anall thar abhainn in achrann ann. Más ea, léim ceathrar, seisear eile orthu sin. Ba ghearr go raibh bun an halla lán de bhruíonta. Bhí stracadh agus iomrascáil agus torann buillí ann. Ag dul in olcas a bhí sé gur thug na rinceoirí fá deara é agus gur stadadar le fiosracht. Ón uair ná raibh éinne ag rince dóibh stad an banna. Ar iompáil na baise ba mhór an t-athrú a bhí ann. San aer a bhí lán de mhaoithe cheoil ní raibh le clos anois ach béiceach bhrúidiúil :

' Suas le Pádraig Fada ! '

' Suas le Pádraig Fada agus gan ag na Máilligh ach a mbundún ! '

' Suas le Cnoc an Fhómhair agus Céim Carraige agus sa diabhal go dté an mhuintir anall thar abhainn ! ' Leath an coimheascar aníos an halla. Lig bean thall agus bean abhus scréach. Briseadh ceann de na soilse sí. Ba dhóigh leat gur chomhartha sin don aos ceoil. Rug gach fear acu ar a uirlis féin, thrusáileadar an druma, agus chúlaíodar go dithneasach tríd an doras stáitse. Léim fear an halla suas san áit a bhí tréigthe agus thosnaigh ar chaint. D'iarr sé ar na daoine uaisle cuimhneamh orthu féin, ar dhea-ainm, cáil agus oineach an Bhaile Dhuibh. Chuaigh na soilse uile as.

Bhí Tomás óstóra ag fanúint ina shuí go mbeadh an rince thart agus go mbuailfeadh daoine isteach chuige ar a slí abhaile. I bhfad roimh an am dúisíodh as a mhíogarnaigh é. Bhí cnag á bhualadh ar an bhfuinneoig, cnag speisialta nár theip air a aithint. D'oscail sé. Tháinig an 'Dochtúir' isteach agus Áine Bheití ina theannta.

'Tá sibh luath,' arsa an t-óstóir.

'A leithéid de oíche!' arsa an 'Dochtúir.'

'Ba dhóbair go marófaí sinn,' arsa Áine.

'Bruíon arís?' arsa an t-óstóir.

'Níos measa ná aon oíche bhí riamh sa tseanhalla.'

'An fhuil!' arsa Áine agus draid uirthi.

'Ól braon,' arsa an t-óstóir go cineálta, agus d'iompaigh sé chun buidéal a fháil. Nuair a bhí braon ólta ag an mbeirt chuir an 'Dochtúir' gáire as.

'Ní fheicim aon spórt sa scéal,' arsa Áine, 'go háirithe os comhair an bhanna ceoil. Cad a mheasfaidh siad den áit in aon chor?'

'Bhuel,' arsa an 'Dochtúir,' 'nár mhór an spórt Tadhg an Halla amuigh ar an mbóthar ag iarraidh leath an airgid a bhaint den bhanna mar ná raibh an oíche ar fad tabhartha acu ? ' Tháinig aoibh shástachta ar aghaidh an óstóra.

' Is dócha,' ar seisean, ' go raghaidh an trú bocht le craobhacha. A cheadúnas agus uile ! '

' An rud is measa ar fad,' arsa an ' Dochtúir ' agus cuma an-dáiríre ag teacht air, ' go bhfuil fear sínte ar tholg an pharlúis aige agus a cheann scoilte le buidéal. Duine ón treo seo amach leis é, a dtugaid Bullaí ó Máille air ! '

' Bullaí Mhártain ! Anocht féin a bhí sé anseo istigh agam. Pé buille a fuair sé bhí sé ag dul dó, go dóite.'

' An ceart agat,' arsa Áine, an chrobh go néata ar an ngloine aici, ' cé an fáth nár fhan sé sa bhaile ? Duine nár rinc céim riamh ! '

' Aineolas ! ' arsa an t-óstóir, ' a chailín a chroí, níl aon ní is measa ná an t-aineolas ! ' Bhí an ' Dochtúir ' ag caint lena ghloine féin go heolach.

' Bhí gluaisteán an tsagairt óig soir inár gcoinne agus is maith sin. Raghaidh sé dian air an t-ospidéal a shroichint ina bheatha. Bhí cnámh an chloiginn ag tabhairt uaim agus mé ag cur an fháisceáin air. Ní fhaca riamh i gcás dá shórt ná gur thóg an inchinn goimh.'

' Chuala bróga tairní ag grátáil ar an urlár mápla,' arsa Áine go buartha. Ansin tar éis sosa chas sí timpeall : ' Goimh san inchinn, an mbeadh sé sin contúrthach ? ' ar sise go simplí.

Agus aghaidh an fhir ardghairme air d'fhreagair an ' Dochtúir ' d'aon fhocal :

' Maraitheach.'

Buaileadh ar an bhfuinneoig arís agus tháinig lán gluaisteáin eile isteach.

FIOSRACHT MHNÁ

DAOINE mar sinne atá i ngrá ní bhíonn gá acu le comhrá ná le caint.
— Ní bhíonn, ní bhíonn.
— Bíonn comhthuiscint sa tost eatarthu.
— Bíonn.
— Is leor de chomhluadar dóibh iad a bheith le chéile. Murach mise bheith i ngrá leatsa raghainn as mo mheabhair id chuideachta.
— Nílim chomh dona sin is dócha.
— Féach, níl ráite agat le huair an chloig ach ' sea ' agus ' ní hea,' agus ' níl mé chomh dona.' Bíonn fir dúr ! Cad air go mbíonn tú ag smaoineamh ar chor ar bith ?
— Ar aon rud.
— Ar aon rud ach ormsa. Dúire na bhfear ! Ba mhaith liom fháil amach an féidir libh smaoineamh nó — . Seo pingin duit ar pé ní atá id cheann faoi láthair.
— Ní fiú pingin é.
— Nach cuma sin ! Is é an rud mór nach ceart dúinn aon ní a cheilt ar a chéile.
— Ach nílim ag ceilt aon ní. Ar m'anam !
— A ghrá bhig is cuma. Leor sinn a bheith i bhfochair

21

a chéile, nach leor ?

— Is leor, is leor.

— Ait é cuimhneamh ar an am sar a raibh aon aithne againn ar a chéile. An taca seo anuraidh bhíos mór le Séamas. Go deimhin cheapas go rabhas i ngrá leis. Ach ní raibh sa scéal ach saobhchion.

— Agatsa is fearr a fhios, dar ndóigh.

— Ní raibh Séamas go holc. Bhí sé deas liomsa i gcónaí gur chuir an té úd adúrt leat crúca ann. B'shin í a loit é, an straoill !

— Ní gá bheith feargach leo.

— Ní gá ó tá an bheirt againn ag a chéile. An bhliain roimhe sin bhínn i dteannta an Bhreatnaigh. Is cuimhin leat—d'inseas cheana dhuit—

— D'insis, d'insis.

— Bhí dealramh breá air, ach é bheith iarrachtín maol. Dá bhfeicfeá ar rothar gluaiste é ! Chomh tapaidh leis ! Agus post maith, cléireach bainc !

— An-phost, an-phost.

— Ní bheifeá ag éad leis ná dada ?

— Beagán, beagán.

— Dar ndóigh ní rabhas i ngrá leis mar atáim leatsa. Ina dhiaidh sin bhí uaigneas orm nuair d'imigh sé.

— Bhí—is dócha.

— Déarfadh duine, b'fhéidir, nach cóir do chailín a croí a nochtadh ar an gcuma seo. Ach idir bheirt atá i ngrá ní bhíonn slí do rún.

— Ní bhíonn, ní bhíonn.

— Níl faic á cheilt agatsa ormsa ?

— Níl, níl.

— Ach chomh beag agus atá agamsa ortsa.

— Mar a chéile sinn.

— Ach ní fiú pioc do chuidse rún.

— Ní fiú, mhuise.

— Cheapas go bhfaighinn rud éigin fónta id dhialann, ach mo lom ! — Ní raibh faic inti, faic.

— Má baineadh mealladh as éinne riamh, baineadh asamsa. Léamh tríd an drochscríbhneoireacht ó thús go deireadh gan teacht trasna ar oiread is aon ní amháin ná raibh chomh tirim le cailc.

— Dialann phearsanta, dialann phearsanta.

— ' N.B. Praghas leathair i Sasana ag ardú, ceannaigh féire bróg.'

— Bhí. Bhí sé sna páipéirí.

— ' N.B.B. Rothar nua ag Seán ó Ceallaigh inniu ; cheannaigh sé ó Mhac Aoidh É Fhéin ; Raleigh spóirt ; praghas £14.10.0.' Níl aon dabht ná gur baineadh mealladh asam. Ní iarrfad féachaint id dhialann go brách arís.

— Ní fiú é, ní fiú—

— Ach cogar, ná raibh aon rómánsaíocht riamh ionat? An bhfaca tú aon chailín a mhuscail smaointe fileata ionat ; gur mhaith leat bheith id shuí lámh léi ar chnocán gréine sa tráthnóna thiar.

— Ní haon fhile mé.

— Ach níl cothrom na féinne á fháil agamsa uait. Seo mise gach aon oíche ag insint duit conas mar bhínn féin agus buachaillí le chéile, agus gan smid uaitse. Deir an seanfhocal gurb iad na muca ciúine itheann an mhin.

— Ní ithimse an saghas sin mine.

— Aon bhuachaill go mbeadh spionnadh ann chuir-
feadh sé mórán cailíní dhe sara mbuailfeadh an duine ceart
leis. Ná habair liom ná fuil aon spionnadh ionat.

— Tá, tá, roinnt mhaith.

— Inis dom go raibh aon chailín amháin ar a laghad
agat, aon chailín amháin. Mura neosair, raghaidh dem
mheas ort. Déarfad go bhfuilir gan spionnadh.

— An cóir rud mar sin insint, an dóigh leat ?

— Ná fuilimid tar éis a rá gur éagóir rud a cheilt.
Brostaigh anois agus inis dom.

— Ní fiú, ní fiú—

— Á, bhí cailín agat romhamsa, mar sin ?

— Bhí, ach—

— Ná bac leis an ' ach.' Bhí. Tá an méid sin socair.

— Tá, tá sé socair.

— Anois ná ceil aon ní, an raibh meas agat uirthi ?

— Bhí, bhí,

— Mórchuid ?

— Bhuel, bhuel, bheifeá ar buile—

— Bead ar buile mura n-inseann tú amach an scéal !
Bhí mórchuid measa agat uirthi deir tú.

— Bhí, bhí.

— Conas a bhraithis ina taobh ? Inis go cruinn dom.

— N'fheadar—ach—cheapainn go mbíodh spéir bhreá
agus aimsir álainn os cionn an bhaile a raibh sí ina cónaí
ann.

— Féach anois an fhilíocht ag briseadh amach ionat !
Aon chomhartha eile ?

— Cheapas gurbh é a gadhairín an gadhairín ba dheise
ar domhan.

— Cheapais sin ! Ní foláir nó bhís i ngrá leis an ngadh-
airín chomh maith.

— Agus leis an gcapall.

— An capall ! ! !

— Lá dá rabhas ag gabháil thar an áit bhí an capall ina
sheasamh ag geata. Leagas bos ar a mhuinéal agus shíleas
gurbh é an capall ba dheise ar domhan é.

— Och, níl aon teora leat. Bhí tú i ngrá le cailín, le
gadhar agus le capall. Don Juan ó thalamh. Ach inis dom
an raibh sí sin i ngrá leatsa ?

— Ní raibh fhios aici.

— Grá éagmaiseach ar leathchois, rud ná taitníonn liom.
Cé an fhaid a bhí tú i *ngrá* leis an *spéirbhean* álainn seo ?

— Dhá bhliain.

— Ar feadh dhá bhliain ! Agus deir tú liom ná raibh
de spionnadh ionat tú féin a chur in iúl di sa mhéid sin
aimsire ?

— Bhí, bhí.

— Agus thug sí éisteacht duit ?

— Thug, thug.

— Agus thóg tú amach ag siúl í faoi loinnir bhaoth
na meathghealaí ?

— Thógas, thógas, gan aon ghealach.

— Maith thú, a Romeo, maith thú. Réitíonn sé liom
go breá a chlos go raibh an méid sin *taithí* agat. Anois
b'fhéidir go neosfá dhom an raibh de spionnadh ionat do
lámh a chur faoina coim ?

— An dóigh leat gur cóir— ?

— Is é an éagóir an cheilt mar adúirt. Chuir tú ?

— Chuir mé, cinnte.

25

— Chuir tú lámh faoina coim. Maith go leor. Anois phóg tú ag casadh an bhóthair í nó faoi scáth crainn nó— ?

— Bhuel ! Ar chóir ? An dóigh ?

— Phógais nó níor phógais ?

— Phógas cinnte.

— Aon uair amháin ?

— Níos minicí ná sin.

— Dhá uair ?

— Níos minicí.

— Deich n-uaire ?

— Níos minicí.

— Céad uair ?

— Níos minicí.

— Míle uair ?

— Timpeall sin, timpeall sin.

— Go bhféachfaidh Dia orm nach tú an Romeo agam. Ní phógfaidh tú mise míle uair go bpósfaidh tú mé. Tuig an méid sin.

— Tuigim. Tá's agam.

— Cad a tharla ar deireadh thiar idir tú fhéin agus an *stuaire* seo bhí chomh héasca le pógadh ?

— Bhí fear eile aici, buachaill as d'áit féin. Ní chuir-finnse suas leis sin.

— *Bheadh* dúil ag na leads im áitse i gcailín den tsaghas sin. Cé an t-ainm bhí ar an mboc seo, bhfuil fhios agat ?

— Ó Cearnaigh, Séamas ó Cearnaigh.

— Ó ! Ó ! Ó ! Agus ar an gcailín ?

— Síle ní Chathasaigh.

— Is é mo Jimmy é gan dabht. Ó ! Ní bheidh suí suaimhnis agam arís go deo. Ó ! Bhí tusa mór leis an straoill a mheall é ! Ó ! Ó !

— Níor mheall, níor mheall, is amhlaidh—

— Cad tá ort ? Ná fuil fhios ag an saol gur mheall sí é ?

— Níor mheall, níor mheall. Chaith sé a bhróga a rith ina diaidh go dtí ar deireadh gurbh éigean di imeacht leis.

— Ba chóir don bheirt acu dul síos tríd an talamh le náire. Agus duitse chomh maith. Ó, nach mé an trua Mhuire in bhur measc.

— Tá an-bhrón orm ach—

— Cé déarfadh anois gur ormsa atá an locht ? Na fir! Na fir !

— Ach ní mise an t-aon duine amháin a—

— Tusa a chuir lámh faoina coim nach tú ? Tusa a phóg í míle uair nach tú ? Ó, na fir ! Na fir !

— Cad na thaobh ná labhrann tú ? Raghad as mo mheabhair . . .

MAC AN CHAIT

I SCABHAT gleanna faoi scáth Chnoc Mhuisire a bhí an portach. Beirt againn ann, mise agus Daid, ag crucadh. Agus a fhliche a tháinig an aimsir, bhí an barrfhód mar a rabhas-sa ina spadalach bog. Go deimhin ní raibh sé oiriúnach le cur ina sheasamh in aon chor, ach ó bhíomar tar éis aistear cúig míle a dhéanamh ar maidin ba ainnis an gnó dúinn casadh abhaile arís agus teacht lá eile. Níorbh é sin an saghas athar a bhí agamsa, a loitfeadh dhá lá le hobair aon lae amháin. Bhí sé idir mé agus an poll portaigh, é ag tógaint na bhfód leis an dá láimh, agus ucht i bhfad níba leithne á dhéanamh aige ná mar a bhí agamsa.

Dhírigh sé é féin, a dhá ladhar dubha leata uaidh amach. Bhreathnaigh sé ormsa, ar an gcuma a rabhas ag útamáil leis na fóid mhóra gan taitheag. Ansin d'fhéach sé taobh thiar díom ar mo chuidse den chois. D'ardaigh a chroiméal agus d'ísligh a mhalaí i dtreo go dtáinig cuma an-ghuaireach ar a aghaidh. Bhí bior ina dhá shúil.

' Mo chreach ! ' ar seisean. ' Tá sé cosúil le Cath Eachdhroime id dhiaidh.' Ansin tháinig sé taobh thiar díom ag socrú na bhfód a bhí titithe nó ar tí titim, agus truslóga arda á gcaitheamh aige os cionn na gcruiceog.

28

'Go mbeire an diabhal leis an múscánach barrfhóid seo, ní thriomóidh sé i mbliana tar éis ár dtrioblóide.' Bhí taithí agamsa ar bheith ag éisteacht leis ag cnáimh-seáil agus ní thugainn freagra ar bith air.

'Corraigh suas tú féin a bhuachaill! Ná fuil a fhios agat go bhfuil lá mór romhainn agus an mhóin chomh mall?' Scaoileas an méid sin thar mo ghuala. Bheadh lá mór againn dá mbeimis ar an bportach in am ceart, rud ná rabhmar. Agus mise faoi deara an mhoill.

Lá bheimis ag dul ar an bportach ba ghnáth le Daid glaoch orm timpeall a cúig a chlog. Níorbh fhaillí dhó é an mhaidin áirithe seo, agus bhí sé pas beag níba luaithe fós ar eagla go dteipfeadh orainn críochnú. Ní hamháin gur bhuail sé ag doras an tseomra, ach bhain sé croitheadh neamh-mhín asam sa leaba. An chéad rud eile ina dhiaidh sin is cuimhin liom, Mam ag glaoch.

'Maróidh sé tú!' a liúigh sí aníos chugam. 'Tá na ba tabhartha leis aige fadó. Ní bhfuair sé aon radharc ar an gcapall agus tá sé imithe á chuardach. Dúirt sé leatsa é leanúint. Brostaigh anois nó íosfaidh sé sinn go léir.' Ach ní fol
áir nó tháinig múisiam arís orm mar ní chuala aon ní eile go raibh Daid le hais na leapan arís, a ordóg fhadharcánach ag dul trím ghuala.

'Cad a mheasann tú in aon chor a stráille leisce? Is deas an gnó dhuit ar maidin ligint dod athair an baile a shiúl trí huaire. Bhfuil tú chun éirí inniu?'

'Éireod anois díreach!' 'Agus d'éiríos. Chun mo cheart féin a thabhairt dom ní leisce a bhí ag gabháil dom ach fíoreaspa chodlata. Éinne a raghadh de shiúl cos i ndiaidh suipéir go hInse an Mhuilinn, agus a chaithfeadh cuid mhór den oíche ann ag drilleáil go dian, agus siúl abhaile arís le haithint an lae, geallaim duit nárbh fhurasta dhó éirí ar an gcéad ghlaoch. Bhíos-sa ar an ndeighleáil sin le roinnt mhíosa. Ní raibh aon duine dem chomrádaithe ag teacht as chomh holc. Roinnt a chodlaíodh an mhaidin mar ná raibh faic le déanamh acu. Cuid eile a bhí ina bpeataí nó a raibh a muintir ina Sinn Féinithe móra, ní déanfaí torann ina dtithe go meán lae ar eagla iad a dhúiseacht. Fiú amháin iad sin d'éiríodh ní bítí chomh dian orthu agus a bhítí ormsa. Mar sin féin bhíodh an uile dhuine riamh acu ag gearán i dtaobh díth codlata. Nuair castaí ar a chéile sinn b'shin é agus an cogadh an t-ábhar cainte. Dá mbeadh rothar agamsa mar bhí ag a lán ba chomhgaraí ná mé, d'fhéadfainn teacht abhaile de thurraic agus bheadh dúbailt aimsire sa leaba agam. B'fhada óm athairse rothar a cheannach dom. Bhí d'ainm air i measc na gcomharsan go raibh sé fearúil. Bhíodh a leathchoróin aige do gach aon bhailiúchán poiblí. Nuair bhíos im pháiste bhíodh féirín maith im phóca agam gach lá aonaigh. Ach ó d'aosaíos, ní bhfuaireas lá saoire ná pingin rua dom féin. Dhéanainn, dar ndóigh, roinnt airgead póca ar choiníní, ar fhionnadh an chapaill, ar mhálaí folamha. Is iad sin fáltas ' Dhiarmaid na Feirme ' le sinsearacht. Ní puinn iad. Is minic a bhíodh náire an domhain orm os comhair bhuachaillí an choiréil d'fhéad nótaí deich scillinge a tharraingt chucu nuair ba mhaith leo. Clann na ndaoine bochta mar dhea !

' Haidhe a bhuachaill ! Ar m'anam gur ag titim ina chodladh anseo ar an bport agam atá sé. Croith suas tú féin ! Is gearr ná déanfair aon phioc.' Leis an machnamh go léir bhíos tar éis barrthuisle a fháil agus dul ar mhullach mo chinn. Ar aon chuma is damanta an obair bheith cromtha os cionn móna nuair a bheadh meáchan luaidhe id cheann agus na fabhraí ag fáisceadh ar do dhá shúil. Bhíos i ndeireadh na preibe ach, i láthair m'athar, ní chuimhneoinn ar ghéilleadh. Dhéanfadh sé bithéamh díom. Leanas liom ag crucadh go mall mairbhiteach gan luí amach orm féin. Thiocfadh an tráthnóna ar deireadh thiar agus bheimis ag críochnú. Bhí gráin faoi leith agam ar an bportach an bhliain sin. Agus mé ag obair fan bhóthair sa bhaile thiocfadh comrádaí an treo agus chuirimis cúrsaí airm trí chéile. Nó an easpa chodlata. Ar an bportach ní bheadh de chomrádaí agam ach an tsíorchnáimhseáil . . . .

Bhí tráth ná raibh an scéal amhlaidh. Agus mé níba óige d'éirínn le fonn maidin a mbeimis ag dul ar an bportach. Agus ar an slí, an bheirt againn i ndá chúinne na cairte, thosnaínn amhrán. Chuirfeadh sé féin an capall ar sodar dom chun go bhféadfainn mo ghuth a ardú tuilleadh. Thaispeánadh sé rudaí dhom ná raibh le feiscint sa bhaile. Leaca ghlas cnoic breac le caoirigh, beithíoch seasc ar íor na spéire, agus an rud ba ghile liom ar fad, dhá pharabola chruinne, fhíorghorma, taobh le taobh, i bhfad uainn siar thar fíoradh Mhullaigh an Ois, iad nite sa tsolas agus taobh na gréine linn. Bheadh a fhios ag aon amadán gurbh iadsan Dhá Chíoch Danann agus níor ghá é insint. Ach d'inseadh sé ainmneacha saghasanna fraoigh agus fionnáin dom, agus chuireadh sé ag faire seabhaic mé agus cearca fraoigh.

Dá mbeadh obair throm ar siúl againn agus an saothar

ag teacht dian ormsa, bheadh focal misnigh aige dhom a d'oibríodh mar spreagadh fíona im chuisleanna. Nuair a thosnódh sé ar scéalaíocht ba ghairid liom an lá. Is ar an bportach a chuala scéal Chearbhaill agus Iníon an Ridire Chaomhánaigh, scéal Sheáin Mhóir uí Luasa, agus scéal ba chomhgaraí dhúinn ar Liam ó Síocháin, an chuma a rug sé an chraobh leis ó spailpíní Chiarraí nuair a léim sé an chanáil taobh thiar de Mhalla, a rámhainn i láimh leis, a mhanga sa láimh eile. Ar an bportach a chuala i dtaobh na bhFíníní, conas mar a bhí a athair féin amuigh lena ghunna nuair a tháinig an sneachta mór. D'inis sé scéalta uafara ar thiarnaí agus ar chur amach agus ar dhíoltas na dtionóntaithe. Agus aon lá amháin tar éis domsa bheith ag cur síos dó ar laochra a fhulaing agus a fuair bás ar son a dtíre, faoi mar a bhí foghlamtha agam ar scoil, bhris ar an bhfoighne aige agus raid sé uaidh an sleán. Thosnaigh a mhéaranna creathánacha ag oscailt brollach a léine. Go faobhrach tútach tharraing sé i leataoibh an t-éadach gur nocht dom ina chlí, cneá dhoimhin ghránna—rian beaignite. Ansin gan mhoill d'imigh an fíoch de agus ní neosfadh sé pioc eile ach gur i bhfad ó bhaile i mBaile Mhistéala a ropadh é. Ó, laoch ab ea m'athair an lá sin agus b'aoibhinn bheith ar an bportach leis . . . .

Bhíos ag míogarnaigh arís. Is dócha go dtitfinn, ach ar ámharaí an tsaoil séideadh adharc ar an taobh thuaidh den ghleann. B'shin é buabhal Madame Edger ag glaoch ar na fir chun dinnéir. D'fhanaimisne leis an bhfógra sin i gcónaí chun ár gcuid féin a chaitheamh. Is é an ainm a bhíodh againn air, ' Barr Bua Fhinn.' An chéad bhliain

a thángas ann bhí m'athair ag iarraidh a chur ina luí orm
gurbh é Fionn a bhí ag seinnm dáiríre. Ar feadh na
mblianta ina dhiaidh sin bhainimis sult as an adharc seo
a dhealraíodh chomh bodharúil i leithead ciúin an
ghleanna.

'An gcloisir ?' adeireadh Daid. 'B'shin é mar a
théadh an Barr Bua "seacht míle ins na cnocaibh,
seacht líoga ins na bunaibh, i gcomhchlos do bhodach
Chille Mhoirne agus do scológ Chille Choinnigh agus
do Gholl mac Morna ar fhaiche Bhinn Éadair ! " '
Nó tráth eile, déarfadh sé :

'Dona 's duabhais orm, murab é seo Barr Bua Fhinn,
agus nár sheinn sé riamh é ach le sólás rómhór nó le
dólás rómhór. Más aon fhleadh nó mórfhéasta atá aige
is maith leis ár gcion againne de, agus más aon dólás
atá air ní córa dhúinn ná dul á fhuascailt. Téanam a
gharsúin ! '

Ach ó rinne fear díom bhí ré an tsuilt thart. An lá seo
d'oibrigh m'athair leis tar éis na hadhairce gur chríoch-
naigh sé an bá a bhí oscailte aige. Ansin gan focal a rá
dhírigh sé é féin. Gan suim a chur ionamsa d'imigh sé
siar go trom tollmhór fá dhéin an chairn mar a raibh an
mhealbhóg i dtaisce againn. Leanas é agus mé ag glanadh
mo lámh le dornán feochta fionnáin. Shuíomar ar thaobh
na gréine den charn beag. Seanmhála faoi gach duine
againn, ár gcosa sínte amach mar fhaoiseamh dár ndroim.
Císte riabhach againn roinnte ina cheathrúna, gach
ceathrú scoilte agus im curtha idir an dá leath. Buidéal
tae dom athair agus buidéal bainne domsa mar dhúth-
racht óm mháthair. Thosnaíomar ag ithe láithreach.

Nuair a bhí seisean leath slí síos ina bhuidéal shín sé
chugamsa é gan féachaint orm.

'Seo ! Ól scíobas de seo. Tá sé láidir agus déanfaidh
sé maitheas duit.' Ní raibh aon bheann agamsa ar thae
láidir fuar. Chuirfeadh sé blas pinginí im bhéal. Bhag-
raíos uaim é go tur, agus d'ólas bainne na bó riabhaí síos
go bun. Bhí raimhre an uachtair ann agus é chomh mín
le síoda ar mo theangain agus ar mo charbaid. Chuir a
sháimhe aoibhneas orm. Thugas aon fhéachaint amháin
ar mheall gorm Mhuisire. Dar liom gur chaoirigh iad
na spotaí scáinte faoi bhun na speireoige thoir. Nárbh
aoibhinn é saol na gcaorach ? Thit na fabhraí anuas ar
mo shúile. Bhí lasán á chnagadh lem ais. Mar sin bhí a
chuid ite aige féin, agus i gceann cúpla neomat bheadh
sé ag siosaraigh chun oibre. Ciach air ná fanfadh tamall !
Mo cholainn uile i scíth agus mo shúile go sámh. Na
caoirigh bhána comhgarach, comhgarach . . . .

Bhí mé teolaí cluthar. D'oscail mé súil liom ar éigin.
Bhí an cnoc romham go buí órga agus focharraig ghréin-
chloiche ann ag glioscarnaigh mar bhladhm maignéise.
Ní raibh caora ná a rian thoir faoin speireog. Rinneas
iarracht ar éirí ach bhíos fillte i ndá chóta móra. Bhí
seanmhálaí caite trasna mo bhróg. Raideas na héadaí
díom agus d'fhéachas thar mo ghuala dheis i dtreo na
gréine. Bhí sí i ngaireacht uair an chloig do dhul faoi.
D'ardaíos suas mé féin agus thugas súil soir thar bharr an
chairn. Bhí sé féin ag obair mar a bheadh gaiscíoch.
Bhí sé ag cnuasach na bhfód leis an dá láimh agus á gcur
in aghaidh a chéile chomh tapaidh agus a cuireadh aon
mhóin riamh. Chuir an méid a bhí déanta aige ionadh

orm. Bheadh críochnaithe aige go mórluath é féin gan
aon chabhair uaimse. Phrioc an diabhal mé luí siar agus
ligint dó bheith ag rás leis. Ach a leithéid sin níor
dearnadh riamh inár dteachna. Seo chuige ar sodar mé,
ceann faoi go leor orm. Nuair bhraith sé ag teacht chuige
mé stad sé den rás agus d'oibrigh sé níba nádúrtha. Thug
sé féachaint orm gan é féin a dhíriú.

' Má tá tú gan bheith ar fónamh ní gá dhuit a thuilleadh
a dhéanamh inniu.'

' Cad chuige nár ghlaois orm ? ' arsa mise go tormasúil
agus chromas chun oibre. Ach is amhlaidh a stad sé féin
ar fad.

' Ní gá dhúinn aon dithneas a bheith orainn leis an
gcuid eile. Raghaimid abhaile láithreach agus is é a bhí
á chuimhneamh agam, dá mbeadh rothar agatsa go
bhféadfá teacht anseo aon lá agus an méid a bheidh inár
ndiaidh a chríochnú. Cad déarfá dá nglaoimis isteach
go siopa an mhuilinn ar ár slí abhaile agus rothar nua a
cheannach ? ' Gheit mo chroí ach níor ligeas orm é.
Bhíos rófhearúil, róstuacach. Leanas orm ag obair liom
féin mar ná beadh éinní ráite aige. Ba ghearr go raibh sé
ag obair arís ina chuid féin ar an taobh istigh, é go mall
mairbhiteach ag greamú na bhfód ina gceann agus ina
gceann le lámha míthapaidh an tseanfheirmeora.

SOCHRAID NEIL CHONCHUBHAIR
DHUIBH

DEIREADH aimsir na faicseanaíochta ab ea é.
Bhí dlí mall fuar na cúirte ag teacht in ionad
dlí fiáin teasaí an bhuailteáin. Ar aitheasc uí
Chonaill agus na sagart bhí síocháin á coimeád ar aonach
agus ar phátrún. Bhí suaimhneas neamhghnáth i measc
na gcnoc i nDeasmhumhain, suaimhneas ná bristí ach
amháin nuair éiríodh báillí agus buachaillí baitín chun
líon tí a chur amach thar cheann an tiarna.

B'fhada riamh a bhíodh Loinsigh Bhaile Mhuirne agus
Muintir Chéileachair Chluan Droichead in adharca a
chéile. B'fhada riamh é ach anois bhí deireadh leis sin.
Mar chomhartha ar an nua-mhuintearthas is i leith go
Baile Mhuirne do tháinig Muirtí Óg ó Céileachair ag
iarraidh mná, i leith go dtí Conchubhar Dubh ó Loin-
sigh. Rinneadh an cleamhnas, agus má bhí fuílleach dí
ar an mbainis fhéin níor buaileadh aon bhuille. Ná ní
raibh éinne ar meisce. Bhí an diúgadh, leis, imithe as
faisean ó ardaigh an tAthair Maitiú a ghlór sa chathair
thoir. In ionad dúshlán óil do bhí tagtha sa tsaol comórtas
measarachta. Ní leomhfadh aon Loinseach dul le meisce
ná le míchiall fá shúile na muintire anoir, agus ní baol go

36

ligfeadh an mhuintir sin d'éinne dá leanúnachas féin dul
thar fóir leis an bpóit, pé dúil a bheadh aige inti, ar eagla
an méid sin d'achasán a bheith ag na Loinsigh le casadh
leo.

Bliain agus ráithe do bhí Neil Chonchubhair Dhuibh
pósta ag Mac uí Chéileachair nuair fuair sí bás i mbreith
chlainne. Cuireadh scéala go dtí a muintir i mBaile
Mhuirne. Gan mhoill ghléas Conchubhar Dubh é féin.
Chuir sé air a bhríste geal cordaraí, a charabhat bán, a
chóta eireabaill. Tharraing sé uime a bhróga ísle búclaí
airgid ná raibh a leithéidí i gCluan Droichead le chéile.
Chóirigh sé a pheiribhic agus chuir hainceasúir corcra
ina hata carailíneach. Agus é lánullamh chuaigh sé i
ndroim a ghearráin agus soir leis fá dhéin an tórraimh.

Lá breá ab ea é i ndeireadh earraigh. Bhí gasraí ógánach
i gclós uí Chéileachair, iad ag ciúinchomhrá agus ag
caitheamh píopa. Níor chuir Conchubhar Dubh aon
speic orthu ach bualadh roimhe isteach sa teach. Bhí corp
na mná sínte ar bhord ansiúd roimhe. Bhí na braitlíní
chomh geal le sneachta. Bhí sé cinn de choinnle céireach
i gcoinnleoirí práis ag ceann an choirp. Bhí pláta píopaí
cré, pláta tobac agus pláta snaoise ag cosa na leapan.
Bhí corcáinín ar an tine ar bogfhiuchadh ; gearrstócach,
agus crúiscín aige, ag roinnt sa timpeall agus gan ag
tógaint uaidh ach fíorbheagán. Má thug Conchubhar
Dubh na nithe seo fá deara níor lig sé air é ach féachaint
cruinn díreach ar aghaidh an choirp. Sheasaimh sé gan
cor as ar feadh tamaill mhaith. Ansin bhain sé dhe a
hata carailíneach, leath an hainceasúir corcra ar an urlár,
tháinig ar a ghlúna agus choisric é féin. Seandaoine do bhí

37

ina suí cois tine d'fhaireadar go raibh sé ag éirí, ansin chorraíodar agus dhruideadar amach gur fhágadar ionad dó in aice an chrosfhalla. D'éirigh fear an tí go buartha trína chéile agus do bhí ag tairiscint a chathaoireach féin dó. Ach do sheasaimh Conchubhar Dubh go ceannard, muinéalramhar, mursanta. Rug sé lena dheasóig ar dheasóig an fhir eile agus adúirt go foirtil foirmiúil ' Is oth liom go mór an scéal seo agat, a Mhuirtí.' Ní dhearna an fear óg ach a cheann a chromadh—ceann beag ar dhéanamh uibh, muinéal fada faghartha, guaille éadroma. Ba shliabh ceann agus cabhail Chonchubhair Dhuibh in aice leis.

' Is é an cladhaire an bás nuair thagann sé,' arsa Conchubhar. ' Níl againn ach ár dtoil a chur le toil Dé.'

' Níl, níl,' arsa an fear óg, a chaint ag teacht chuige. Ansin rinne sé comhartha don ghearrstócach teacht agus gloine a líonadh. Ní dhearna Conchubhar Dubh ach a bhlaiseadh agus a chur uaidh. Ansin shuigh sé. Is beag cainte a rinneadh as sin go hoíche. Thagadh mná, ghoilidís goil agus d'imídís. Bhí an teach ag líonadh. Tháinig Seán Máistir isteach agus an paidrín ar a mhéara aige. B'shin comhartha do chách teacht ar a nglúine agus Coróin a rá. Ina dhiaidh sin thug an Máistir Marbhna Phádraig. Bhí gach éinne á mholadh a fheabhas adúirt sé é. Líon fear an tí cnagaire d'fhuiscí glan gan baisteadh chuige agus chuir ina shuí i lár an tí é. Thosnaigh sé ar chaint. Thrácht sé ar ripéil agus ar dheachmaithe. Chuir sé síos ar thrucail gan capall agus ar bhád gan seol. Labhair sé ar aimsir Napoleon agus ar Stiall ó Donnabháin á chrochadh i gCorcaigh. Bhí an lucht éiste fá dhraíocht ag líofacht a chainte.

'Agus a bhfeadair sibh dom, a dhaoine, cé an áit dheireannach sa tír ar ardaíodh iarann i bhfeirg ann?' Níor thogair éinne freagra thabhairt.

'Thoir ag Crois Achadh Bolg.' Níor chorraigh éinne. 'Ag Crois Achadh Bolg mhuise, ach más ea níor maríodh éinne mar do rith le Tadhg na Beilte síocháin a dhéanamh. Mar seo a bhí sé. Ó Ceallacháin Bhaile na Groí do bhí pósta le hiníon Dhiarmaid uí Éalaithe ón Domhnach Mór. Cailleadh an bhean agus tháinig Muintir Éalaithe aduaidh ina bhfórsaí tréana chun an corp a bhreith leo go dtí a reilig dhúchais sa Domhnach. Bhailigh na Ceallachánaigh mar an gcéanna chun í choimeád acu féin i gCill Chré. Ghluais an tsochraid agus ghluais an comhrac. Bhí claimhte ag a bhformhór. Ag Crois Achadh Bolg chuir muintir Éalaithe seasamh dána suas chun gan ligint don chomhra dul an bóthar ó dheas. Bhí Tadhg na Beilte ann agus gan aon pháirt á thógaint aige san obair. Ní fhéadfadh sé é mar bhí sé gaolmhar leo araon. Léim sé in airde ar chlaí agus liúigh sé orthu stop.

'Bíodh ciall agaibh,' adúirt sé, 'agus fágaigí fá mholadh beirte an scéal.'

'Níl éinne is fearr a dhéanfaidh an moladh ná tú féin,' arsa fear ceannais na muintire aduaidh.

'Ós clann na beirte deirféar sinn,' arsa Mac uí Cheallacháin, 'beadsa sásta le pé réiteach a dhéanfair.'

'Go maith agus go han-mhaith,' arsa Tadhg, 'ach ar dtúis fiafraím an méid seo dhíbh:

'Cé acu is giorra do Fhlaitheas Dé, Cill Chré nó an Domhnach Mór?'

39

' Comhfhaid,' arsa an bheirt.

' Comhfhaid agus comhghiorracht,' arsa an slua.

' Cuirtear i gCill Chré mar sin í,' arsa Tadhg, agus b'shin deireadh le comhrac an lae sin.

Ghlac an Máistir foras. Níor chorraigh éinne ach gur tharraing an gearrstócach scála as an gcorcán.

Thóg fear an tí gloine dhe agus shín chun Conchubhar Dubh í.

' A bhuí le Dia,' ar seisean, ' go bhfuil ré na bruíne thart.'

' Amen ! ' arsa Conchubhar, do bhlais an deoch agus do chuir uaidh. Lena linn sin labhair guth ciachánach ó dhoras an tseomra i dtreo gur chas gach éinne timpeall. Sean-Mhuircheartach Liath is é do bhí ann. Ní fhacadar de ach a fhéasóg, a chloigeann ar dhéanamh uibh agus an scrog fhada muinéil.

' Ba chaillte an mhaise do mhuintir an Domhnaigh Mhóir í scaoileadh uathu chomh bog.' Níor fhreagair éinne ach chorraigh cathaoir anseo agus ansiúd agus do scríob tairní bróg an talamh. Labhair an guth ciachánach arís. ' Meatacht a bhí orthu ! Meatacht, cad eile ? ' D'éirigh Conchubhar Dubh sa chúinne cois tine. D'ardaigh sé a chorrán géill roimhe agus shiúil go trom mursanta fá dhéin an dorais gan stracfhéachaint féin a thabhairt ar chorp a iníne. Níor cuireadh isteach ná amach air . . . .

An oíche sin bhí turraic agus tiomáint ar theachtairí trasna chnoc Bhaile Mhuirne. Níor fágadh teach de mhuintir Loinsigh nár buaileadh doras ann agus nár fógraíodh do gach ógfhear bheith i gCluan Droichead amárach ar shochraid Neil Chonchubhair Dhuibh. B'shiúd iad do fhreagair an glaoch. Ó mhoch maidne amach bhíodar ag teacht ina mbeirteanna agus ina dtriúranna fá dhéin chlóis na Muircheartach. Bhí dealramh gaoil le haithint orthu uile. Bhíodar cabhail-trom, súilbhuí, tiubhchraicneach, spadchluasach. Bhí a chailichín fuinseoige fána ascaill ag gach fámaire acu. Ach níorbh aon ní an méid sin ann fhéin mar ba é nós na haimsire bata den tsaghas sin a bheith ag gach aon fhear pé áit go ngabhadh sé. Ach ag Conchubhar Dubh agus ag Amhlaoibh na bhFuithire, ag Seán Ghort an Acra, agus ag sean-Amhlaoibh na nUllán do bhí cleithailpíní cearta bruíne. Bataí fás cuilinn ab ea iadsan, timpeall trí troithe ar fhaid agus bailc ramhar dhá n-orlaigh ag a mbun. Bhíodh an choirt scamhaithe dhíobh agus iad smeartha le blonag gé. Na bataí bruíne an lá seo do bhí scáil an tsúghaidh iontu tar éis iad a bheith le blianta díomhaoin ar na cúl-lochtaí. Más ea ní raibh éinní le haithint ar na fir féin. Dála Chonchubhair Dhuibh do bhíodar dúr, plucach, glasbhéalach.

Ag meán lae dúradh roinnt paidreacha agus siúd chun siúil an tsochraid. Ceathrar de mhuintir Chéileachair fán gcomhra, an dá Mhuircheartach agus na mná caointe ina ndiaidh, Conchubhar Dubh agus sean-Amhlaoibh na nUllán ina ndiaidhsan agus an gnáthshlua do réir mar thángadar as sin siar. Shiúladar leo go bog brónach le ceol an chaointe. Síos Céim Carraige leo agus anonn go crois na Cáití. Ansin is ea thosnaigh na Loinsigh ar bhrú amach thar na mná caointe. Liúigh sean-Mhuircheartach ar na fir tosaigh—

' Soir léi, a bhuachaillí ! '

' Stadaigí ! ' arsa Muirtí Óg   ' ní gá an forcamás.'

' Ní gá, ní gá,' arsa Conchubhar, ' ach go gcuirfí thiar í.

' An amhlaidh,' arsa an fear óg, ' ná fuil fhios agaibh gurb é an nós i ngach aon bhall anois an bhean a chur i dteannta muintire a céile ? '

' Ní hé sin nós a chleachtamar,' arsa Conchubhar Dubh, ' ach an té is treise bheith in uachtar.'

' Soir léi, a bhuachaillí ! ' do liúigh sean-Mhuircheartach.

' A leithéid seo do bheadh ag caitheamh achasán linne ar ball,' arsa Conchubhar Dubh agus tharraing a chleithailpín. Tharraing gach aon fhear eile ar an toirt agus ba ghearr go raibh an bóthar ina chimileoró. An ceathrar do bhí fán gcomhra ghéaraíodar orthu go béal na croise agus chasadar soir. Seo an slua ina ndiaidh agus iad ag pleancadh a chéile. Go luath do treascradh sean-Mhuircheartach go faonlag ar an mbóthar. Siúd an slua ag siúl dá dhroim ag satailt air. Bhí sé brúite folaithe gearrtha. Ba chuma leis, ámh, ó bhí aghaidh na mbróg soir agus níor staon sé ach ag liúirigh—

' Soir léi, a bhuachaillí ! Mo cheol sibh, soir léi ! '

D'ainneoin a dhíchill, ámh, agus díchill a mhuintire, do bhí na Loinsigh róláidir. Ghabhadar an chomhra agus d'ardaíodar leo siar í, fir na gcleithailpíní ag déanamh cúldín dóibh. Siar leo go buach ina ndíorma daingean diongbhála. Siar leo thar Carraigín Aodha, trí Dhaingean na Saileach, trí Bhéal an Ghearrtha, thar Baile Mhic Íre, an Sean-Droichead anonn, agus suas Céim an Mhinistir ag tarraingt ar Chill Gobnatan.

Ní raibh ach barr an Chéama sroichte acu nuair chualadar mar a bheadh toirneach ina ndiaidh aniar. Nuair fhéachadar is amhlaidh a bhí Muintir Chéileachair á leanúint, a raibh de chapaill agus de chúnamh i gCluan Droichead leo. B'éigean do na Loinsigh an chomhra a leagadh ar an mbóthar agus iad féin a chur i dtreo chun catha. Agus má ba chruaidh an chéad chath ag crois Cháití ba dhá chrua an dara cath seo ag Céim an Mhinistir. Ach arís bhí na Loinsigh rótheann róláidir agus b'éigean géilleadh dhóibh. Thógadar an chomhra leo isteach geata na reilige agus lean Muintir Chéileachair iad go ciúin síochánta. Do réir nós sochraidí thugadar cúrsa timpeall na Cille agus stopadar ag plasóig na Loinseach ag an bpinniúir thiar. Bhí uaigh nuabhainte ansiúd agus leagadar an chomhra ag a himeall. Lomadh agus humhlaíodh gach ceann chun paidreacha.

'Fóill, fóill!' arsa Conchubhar Dubh. D'iompaigh sé chun muintir Chéileachair. 'Tá sí tabhartha anseo againn d'bhur lom deiridh ainneona. Más aon tairbhe dhíbh anois í beirigí libh soir í agus ní dhéanfaimidne bhur mbac a thuilleadh.'

Chorraigh Muircheartach óg, ach bhí sé féin agus a chuid fear róbhuailte, róleonta, gan éinne acu oiriúnach ar chomhra iompar. Rinne Conchubhar Dubh comhartha chun a mhuintire féin. Phreab ceathrar Loinseach scafánta agus chuireadar an chomhra ar a nguaille. Thugadar a n-aghaidh ar an ngeata de choiscéimeanna tomhaiste lán de mhursantacht na bua. Lean Conchubhar

Dubh iad agus Muircheartach Óg cois ar chois. Lean na mná caointe iadsan. D'éirigh an chuid eile amach agus is mó duine acu do bhí costrom, bacach, tinn-shlinneánach. Do thóg na mná caointe olagón go bog binn ag dul thar geata dhóibh. Ba mhinic gol ar an slí isteach ach b'sheo an chéad uair riamh a raibh corp ar a shlí amach as Cill Gobnatan. Thuigeadar gur ócáid neamhghnáth í agus chuireadar boige agus binneas neamhghnáth sa ghol. Agus thuig gach duine dá raibh ann gurbh ionadh saoil é.

Agus riamh ó shin nuair a bhíonn seanchaí ar thórramh ag iarraidh méid a chuid eolais a thaispeáint deir sé :

' An bhfeadair sibh dom cé an uair a buaileadh an faicsean deireannach ? Deich mbliana go cruinn roimh an ngorta, agus an áit, Céim an Mhinistir. Neil Chonchubhair Dhuibh do bhí á cur agus thug a muintir leo anoir í ó Chluan Droichead le lámhláidir. Ach ina dhiaidh sin níor chuireadar i mBaile Mhuirne í. Is amhlaidh . . . . '

RÉAMANN

MURA BHFUIL eachtraí móra le ríomh agam ar Réamann mac Giolla Morna ní air féin an locht ach ar an aois ina dtáinig sé. Faoi mar ionchollaigh Cú Chulainn ré na gcuradh ina phearsa féin, ar an gcuma chéanna is é Réamann ionchollú agus barrshamhail na haoise seo. Aois ghlic atá againn ; aois gur deacair dalladh mullóg a chur uirthi ; aois ná creideann i bpúcaí ná i bpiseoga ná in ícluibh na beatha ; aois gan aon tsuim in amaideacht.

Ní dhearna an Réamann seo aon ní amaideach riamh. Is fíor gur dhóbair dó ar ócáid áirithe. Deir daoine gurbh é a athair a shábháil é.

'A Réamainn,' adeir an t-athair, 'an gcloiseann tú mé ! Ní ligfear taobh amuigh de dhoras aon oíche feasta tú. Ní healaí duitse bheith ag siúl bóithre le Nuala ní Fhloinn, iníon fir dhá bhó.' Ach bhí an t-athair ag déanamh éagóra ar éirim a mhic agus ar a chúilfhéith. Lean Réamonn ag siúl le Nuala ní Fhloinn. Agus ina dhiaidh sin is le Máire de Barra, iníon an tsiopadóra, a bhíodh sé ag siúl ; ar a mhalairt de bhóthar dar ndóigh. Féadaim a rá ná raibh sé riamh ó shroichint fiche bliain dó gan cailín aige, agus uaireanta beirt. An é eagla an athar má

sea a choinnigh ó phósadh é? Díchéille! Níor thug sé
fáinne ná a ainm ar pháipéar d'aon chailín acu. Ná níor
lean sé bliain le haon duine acu ach amháin Cití Sheáin
Rua. Cailín ard caol fionn is ea Cití. Níl sí an-álainn ar
fad, tá sí beagán tanaí, cnámhach. Tá dath na gaoithe
ina snó agus beocht ina súile liatha. Tá sí chomh cruaidh
le gad agus barr na sláinte aici.

Ar dtúis théadh Réamann á feiscint gach tráthnóna
gur thoilig sí sa deireadh é phósadh. Anois ní théann
sé ag triall uirthi go dtagann tráthnóna Dé Domhnaigh.
Siúlann sé an fheirm ina teannta agus tugann comhairle
dhi i dtaobh oibre agus stoic. Aon rud go mbíonn sí in
amhras ina thaobh is é Réamann a shocraíonn é agus is
mó punt atá spártha aici dá bharr sin. Ní bheadh ionadh
ort a chlos go bhfuil fonn ar Chití pósadh go luath le fear
atá chomh tuisceanach. Tá, ach deir Réamann gur fearr
fanúint. Níl an uain fábharach agus an Eoraip go léir ina
cíorthuathail. Ós rud é go mbíonn an ceart ag Réamann
i dtaobh díol beithígh nó cur páirce, níl aon bhaol ná go
bhfuil an ceart sa phonc seo leis aige. Nach mór an trua
gan an Eoraip uile bheith faoi? Ansin féin, b'fhéidir ná
beadh an uain fábharach.

Is cúis mhórtais dom a chraobhscaoileadh go bhfuil
mórán óganach géarchúiseach sa cheantar seo againne,
cé ná fuil aon bhreith ag éinne acu ar Réamann, dar
ndóigh, in éirim, ná i gcruinneas cinn. Tá fodhuine eile
againn nach féidir maíomh as, mo léan!

Diarmaid ó Tuama, cuirim i gcás, ón Leacain Réidh,
phós sé an Inid seo caite agus a athair agus a mháthair
fós ina mbeatha. Fuair sé an fheirm ceart go leor, ach

caithfidh sé fiche punt cíosa a íoc leis an seanlánú faid a
mhairfid. (Deir Réamann go mairfid agus go gcreach-
faidh siad Diarmaid.)

Cé ná raibh mórchuid de strus an tsaoil ag Seán ó Sé,
phós sé. Ba lú de strus a bhí ag an mbean a fuair sé. Bhí
ocras tar éis altuithe ar an mhuintir a tháinig go dtí an
bhainis. Sheinn Seán an bheidhlín dóibh agus choimeád-
adar te iad féin le rince. (Drochobair adúirt Réamann.
Bhí an lá go maith chun sciollán agus an garraí fós gan
cur. Ó ná raibh aon rud acu thabharfaidís do na lachain
ná féadfadh an bhean óg neantóga a bhailiú dhóibh,
agus ansin b'fhéidir go mbéarfaidís). Agus cad a bhí dá
bharr ag Seán, tar éis a lae a lot le ceol? Bhí, ainm na
sprionlaitheachta. Botún mór ab ea an t-ainm sin a
tharraingt air féin. Is iomaí slí atá ag Réamann chun a
leithéid a sheachaint. I measc an phobail ní fheictear
choíche é gan toitín mór ina ghrabhas. Cuireann sé na
buin ina phóca le caitheamh sa bhaile. Nuair a castar
Liam Géar air tógann sé isteach i dteach an leanna é gan
chúis gan ábhar. Agus deir Liam os ard :
' Is galánta an t-ógfhear é Réamann mac Giolla Mórna.
Ba dual athar dó é. Bhí an ghalántacht riamh iontu.'
Ansin bíonn fhios ag Réamann go mbíonn a chuid airgid
caite go tairbheach aige. Nuair a bhíonn rince sa Halla
bíonn Réamann ann, é féin agus Cáit. Ní thagaid go
mbíonn an slua bailithe. Seasann siad sa doras agus iomp-
aíonn gach éinne timpeall ag stánadh orthu. Smíste
gaigiúil ceart is ea Réamann nuair a bhíonn sé gléasta suas.
Tá bríste dúghorm aige den ábhar ceart réamhchogaíoch.
Tá casóg donn spóirt aige, den fhaisean céanna a cheann-

aigh sé ar shladmhargadh lá a bhí sé ar aonach an fhómhair
dhá bhliain ó shin. Tá bróga donna ruibéar-bhonnacha
aige ag gabháil leis an gcóta. Bíonn sé bearrtha go
barr na gcluas i dtreo ná feicfeá an rian is lú léithe. Bíonn
a ghruaig dubh agus a mhalaí go drithleanach ag smearadh
trucailleach, agus na táithíní fada a fhásann as a uiseanna
casta timpeall go haiclí sa chuilithe bheag mhaol ina chúl.
Siúlann an bheirt suas trí bholg an halla, greim éadmhar
ag Cáit ar uillinn air, agus suíd fán stáitse i dtreo go
bhfaighid a gceart den cheol. Cuid mhór de na rinceoirí
iompaíonn siad i leataoibh chun beannú dóibh . Tagann
an maor urláir ina dtreo.

'Seasaígí amach,' adeir sé go croíúil, 'bainigí greadadh
as na cláracha.' Is pras a bhíonn freagra ag Réamann.
'Obair shaothraitheach gan riachtanas a Mhuiris,' nó,
'ar mhaithe leis féin a dhéanann an cat crónán a Mhuiris.'
Ansin tugann Cáit sonc sna heasnacha dó agus gáireann
siad beirt go doimhin ina scornacha, ag croitheadh a
slinneán le sult.

Pé acu ag déanamh suilt nó ina dtost dóibh ní tharlaíonn
aon ní sa halla i ngan fhios dóibh. Nuair bhíonn líne á
thosnú idir bheirt, tugaid faoi deara ar an bpointe é. Is
géire súil Chití de bheagán sna cúrsaí seo. Ach tá de
fhiúntas i Réamann go scaoilfeadh sé an chraobh léi ar
aon chuma. Nuair chíonn siad beirt a bhíonn go mór i
ngrá déanann an scéal imní mór dóibh. Labhrann Cití
go scáfar agus tagann féachaint fadradharcach ina súile.
Cuireann Réamann gáire beag dóite as. Toisc méid a
chéille féin, sleá trí chroí dhó bheith ag féachaint ar
dhaoine óga eile ag múchadh a gciall le taibhrithe.

Baineann sé croitheadh as a cheann le trua agus le dólás. Ach ní dhéanann sé dearmad de Chití. Chuireann sé i gcuimhne dhi ná raibh aon cháil fhónta ar sheanmháthair an chailín, nó go raibh uncal an ógánaigh neamhchruinn ann féin, agus go gcailltear na gamhna gach bliain ar a ndá muintir.

Nuair a glaoitear amach rince den déantús is déanaí, ansin is ea thagann ár mbeirt amach ar an urlár. ' Chun sinn féin a thriail,' adeir Réamann. Beireann sé ar láimh Chití lena chlé ; buaileann sé a dheasóig ar a cromán ; chuireann sé leataobh air féin i dtreo gur féidir léisin crochadh dá ghualainn. Ansin timpeall leo le pléascadh an druma, clé-deas, clé-deas, ise ag cúlú agus eisean á stiúrú. Dá nua agus a bhíonn an rince tig leo é dhéanamh gan aon bhuille amháin a chailliúint. Ag na casadhacha is minic a bhuaileann cúpla óg fiáin bloc ina gcoinne. Má dhéanaid ní scaoileann Réamann leo é.

' Bromaigh bhorba gan béasa,' adeir sé, ' ná fuil oiriúnach chun bheith i bhfalaig mhuice, ní áirím halla rince !' Clé-deas, clé-deas, timpeall leo gan cor gan casadh gan titim bhéime. Agus nuair shuíonn siad síos ní bhíonn braon allais leo murab ionann agus na rudaí boga óga.

Anuraidh nuair a bhí fear na Gaeilge ag gabháil timpeall chuir sé an-shuim i Réamann. Bhí fhios aige dá bhféadfadh sé an duine ard-éirime seo a mhealladh ar a thaobh go raibh leath a shaothair déanta.

' Níl locht faoin spéir agam ar an nGaeilge,' arsa Réamann, ' ach cad é an tairbhe dhuit í lá an aonaigh ?' Agus i dtaobh na rincí Gaelacha dúirt sé :

'Tá an céilí maith go leor chun an teaspach a bhaint de bhramaigh dhíomhaoine, ach ní dhéanfainnse aon *jitterbugging*, há-há, Gallda ná Gaelach, há-há.'

Is é Réamann an duine is áiseach do na daoine bochta sa cheantar ná fuil aon chóir treafa dá gcuid féin acu. Ní bhíonn aon leisce air lá i lár na seachtaine a thabhairt dóibh. Ní deas an rud daoine a chur as an leaba róluath ar maidin, mar sin ní thagann sé ina dtreo go dtí díreach roimh am dinnéir. Ó ná fuil aon chócaire sa bhaile aige samhlaíonn na mná bochta go mbíonn sé lag le hocras agus ullmhaíd con-bhéile ina chomhair.

'Ith uait an fheoil,' adeir siad. Ní dhiúltaíonn sé choíche iad ar eagla náire chur orthu. Nuair a bhíonn sé ag imeacht deir sé : 'Cuir fios orm arís an bhliain seo chugainn.'

Is móide an chreidiúint atá ag dul dó an treabhadh a dhéanamh chomh fonnmhar sin do dhaoine eile nuair ná iompaíonn sé fód dó féin. Sa chúinse seo leis taispeánann sé a mhórintleacht. 'Bhrisfeadh fir tú sa bhfómhar,' adeir sé.

Ní choimeádann sé aon bha bainne leis na blianta ach tá minseach mhaith ghabhair aige i gcóir liathadh an tae. An chéad phost a bhíonn le déanamh aige gach maidin roimh éirí an lae, an mhinseach a lorg, í chasadh isteach i gcúinne, breith uirthi agus í chrú i gan fhios don tsaol. Má castar duine an treo sin de thionóisc, ní bhíonn aon mhoill air an canna chur i bhfolach faoi thor aitinn, agus ansin tosnú ag féachaint uaidh díreach chomh maith agus ná beadh aon ghabhar in aon chor ann. Agus nuair déarfadh duine, 'tá minseach bhreá bhainne agat,' bíonn freagra ar bharr a theangan aige :

'An gabhairín beag, bail ó Dhia uirthi, tá úth maith
aici. Mór an trua ná fuil sí ag duine bocht éigin a chrúfadh
í. Dhéanfadh gabhar seasc mo ghnósa chomh maith. Ní
bhíonn rath ar aon stoc gan ceann acu. Itheann siad na
drochfhiailí.'

Stoc seasc ar fad atá ag Réamann. Dá mbeadh ba
bleachta aige bheadh air é féin a mhaslú le tornapaí agus le
meainglí, le harbhar agus le tuí. 'Is mór an comhgar d'áit
gan cúnamh na buláin,' adeir sé, 'agus is fearr a dhíolann
siad i ndeireadh báire. Bíonn mo bhrabús agam astu fiú
amháin i ndiaidh fíneála na curaíochta a íoc. Gan rath air
mar dhlí, nó cad a mheasann siad is féidir leis an duine
aonair a dhéanamh ?'

Is é an dara post a bhíonn aige gach maidin ná féachaint
sna trapanna. Má bhíonn coinín i gceann acu, bhuel,
nach shin leathchoróin. Má bhíonn giorria ann beidh
anraith chun dinnéir aige.

Mheasfá gur mhór an cheataí dhó gan lámh cúnta éigin
a bheith aige chun béilí ullmhú dhó. Ní hamhlaidh atá.
Faid a bhíonn sé ag crú na minsí bíonn an ciotal
dubh ar fiuchadh ar an *primus*. Tá seilp os a chionn ar a
bhfuil boiscín tae agus páipéar siúcra, cupán agus bulóg.

'Ullmhaím mo bhricfeasta féin níos tapúla go mór ná
mar d'ullmhódh cócaire dhom é. Ní thuigeann siad sin
conas gach rud fhágaint ar deis a lámh.'

In ionad dinnéir, is é bhíonn aige ná bricfeasta eile.
Ach go deimhin is annamh a bhíonn sé sa bhaile i gcóir
dinnéir. Gach Domhnach bíonn sé i dteach Chití. Níl
aon tseachtain ná go gcaitheann sé lá nó dhó ag déanamh

obair chapall do na comharsain.

Nuair a bhíonn sé ag fágaint an bhaile beireann sé an ciotal agus an bhulóg suas chun a mháthar atá sa leaba gan éirí le breis agus deich mbliana. Molann sé an saothar a bhíonn déanta aici leis na bioráin chniotála.

'Is fearr go mór a thuilleann tú do ghreim ná cuid de na giobstaeirí óga.'

'Cuir uait a lao! Cuir uait, agus cos liom san uaigh.'

'Ní bhíonn aon bhillí bróg le díol aisti mar chois, há, há.'

Ní duine é Réamann a chuirfeadh aon rud ar an méir fhada. Mar sin gach maidin Luain má bhíonn aon triomú san aimsir níonn sé a léine. Ní fhliuchann sé an chabhail ná na mainchillí choíche. Beag an gá dhó sin nuair ná feiceann éinne ach an bóna agus na cufaí. Dá mbeadh an chiall chéanna ag gach aon bhean tí féach a mbeadh de ghalúnach spártha againn. Luach milliún punt gach bliain, áiríonn Réamann, agus ansin i gceann céad bliain bheadh céad milliún punt breise sa tír agus sinn go léir saibhir!

Tá dignit dhorcha timpeall tí Réamainn. Tá an t-atmasféar céanna ann a leanann seanphaláis agus seodlanna. Tagann an solas tríd an bhfuinneoig ina scáilí dubha. Luíonn na baill troscáin fan an fhalla, gach ceann acu ina ionad ceart féin gan corraí. Ní chloisfeá do choiscéim ar an urlár agus tú ag siúl air. Níl aon ní is fearr a thaitníonn le Réamann ná ciúnas agus dorchadas. Ar an gcuma sin tá sé cosúil le díthreabhaigh na meánaoise. An fhírinne choíche, cá bhfuil sa tseanchas dream daoine a sháródh na díthreabhaigh ? Is iad a chuir crot agus cló ar an saol lena linn. Do réir mar is doimhne a déantar staidéar air is ea is léire chítear feabhas an tsaoil sin. Sa tuaith in Éirinn faoi láthair tá deisciobail againn arís go líonmhar agus go cumhachtach. Is iad a dhealbhaíonn snó an náisiúin, agus nach méanair dúinn gurb é ár Réamann-ne an príomhdhealbhóir ? Is mac gach duine don aois dar di é. Mar sin tá Réamann ina athair agus ina mhac ag an 'Éire' atá anois againn. Sinsear agus clann, tuisme agus toradh, síol agus barr san aon duine amháin. Is beag ná go gcomáineann an smaoineamh sin chun filíochta mé, ach mar adeir Réamann féin, 'Cuirimis uainn an ráiméis !'

Is mór an chéim suas do thuathánach capall a bheith aige. Is fearr ná sin fós é má bhíonn dhá cheann aige. Ní bhíonn sé sa diallait i gceart go mbíonn capall le díol aige. Is mórtasach a bhíonn Réamann ar aonach ; an spórtchasóg dhonn air ; draid air ; an phingin is airde á éileamh aige ; a ainm baistí féin aige ar gach ceannaitheoir agus ag gach ceannaitheoir air. Tá scáil ón diallait ar iarthar an bhríste *navy*. Tá fionnadh de gach dath ar na hioscaidí i dtreo go bhféadfadh duine (ach é bheith eolgaiseach i dtlachteolaíocht dár ndóigh) stair dathanna na gcapall a ghaibh trína lámha (agus idir a chosa) a fhionnachtan. Ar gach aonach díolann sé capall agus ceannaíonn sé ceann eile, ach ní bhíonn sé ag braith ar an ngnáthphraifíd. Tugann sé togha an aireachais go mbíonn fás maith ar eireaball agus ar mhoing an chapaill a cheannaíonn sé. Nuair a bhíonn sé á dhíol arís, bíonn sé lom glanbhearrtha faiseanta. Ar an gcuma sin bailíonn sé bacla mór fionnaidh le díol leis na giofóga. Cad é an mhaith an mhórintleacht a bheith ag duine mura gcuirfidh sé ag obair í ?

Is í an mhórintleacht a oibrigh Réamann nuair a dhíol sé na meadracha agus cíléirí an bhainne. Dhíol sé an chuigean le Sasanach nua ar dhúbailt a luach. Na hinnill fheirme go léir dhíol sé iad ina gceann agus ina gceann, ach amháin an céachta a choinnigh sé mar áis do bhochta. Tá scéim ar aigne aige, dá gcailltí a mháthair, an fheirm a dhíol ar fad. Ansin d'fhéadfadh Cití an cleas céanna dhéanamh lena feirm féin. Nuair chuirfidís an dá fháltas le chéile bheadh bulca deas te acu. D'fhéadfaidís cur fúthu i dtigín de chuid na Comhairle Contae gan de chíos, cás, ná cothú orthu ach trí scillinge sa tseachtain. Nach iad a dhéanfadh an magadh faoi Dhiarmaid ó Tuama, go bhfuil an fheirm leathbhriste aige agus a mháthair sa rúm ag éileamh a fiche punt ? Nach iad a gháirfeadh faoi Sheán ó Sé, go bhfuil bean lom aige agus coiminisc de gharlaigh bhrocacha ocracha ag éamh timpeall an tí ?

Nuair rinne Dia, i dtosach aimsire, conradh leis an gcine daonna shamhlaigh Sé go raibh ceangal curtha aige ar an duine é féin a athnuachaint. Is baolach ná raibh aon choinne Aige le Réamann, ná lena iliomad deisciobal ar fuaid Éireann. Pér domhan é tá spior spear déanta acu d'aithne an tsíolraithe. An ndéanfaidh an Cruthaitheoir, moladh go deo leis, breab bhreise a thairiscint dhóibh ? Mura ndéanann ní bheidh a leithéidí arís ann.

CRAINN LE TACA

A G BAINT birtín aitinn don asal a bhí sé nuair a
chonaic sé Tomáisín chuige an bóithrín aníos.
'Deamhan aird ar bith a thabharfaidh mé air,'
ar seisean leis féin, 'iompóidh mé mo leathghuala leis
mar ná beadh sé ann olc ná maith. Nuair déarfaidh sé :
'Tá an lá go breá bog,' ní bhfaighidh sé mar fhreagra
ach fuaim mo chorráinse ar an aiteann.' Chrom sé ar
bhaint leis go deas socair. Bhí an seanphinsinéir ag
cniotáil roimhe aníos i gcoinne an chnoic. Ach is mall
mar bhí sé ag teacht chun cinn. Shíl Micil ná sroichfeadh
sé é choíche. Bhí a dhá bhróig ag caitheamh an bhóthair,
ach bhí an bata aige á ardú go glan agus cnag maith
fuaimeatúil le clos nuair leagadh sé arís é.
Ar deireadh shroich an seanduine an barr ar aghaidh
na hoibre amach. Níor fhéach sé deas ná clé. Ba dhóigh
leat gur bodhar a bhí sé, nár chuala sé corrán ná corrán.
Más aon rud é bhí leathstuaic air rud beag i dtreo na díge
thall. Ní móide gur seamróg a bheadh á lorg aige !
San áit ar bhuail biana a bhata ar chloch bhain sé splanc.
Ba dhóbair do sclábhaí an aitinn an mhéar a bhaint de
féin. Bhí sé ag tabhairt sceadshúilí ar an seanduine agus
ag braith bheith ag leagadh leis go deas socair san am

55

céanna. Thug an splanc air cambhuille a thabhairt. Rois
sé coirt na gabhlóige. Ba dhóbair ! Thug sé spléachadh
eile ar an seanshuarachán. Ar m'fhalaing go raibh an
choisíocht ag dul i bhfeabhas ! Bhí an gruingín á
chroitheadh féin anonn agus anall le gliondar, déarfá.
Bhí eireaball a chasóige ag preabarnaigh go gránna ar
a cholpaí. Bhí an bata ag greadadh an bhóthair.

' Agus a chuimhneamh gur ghabh sé suas tharm ar an
gcuma seo gan beannú dom ! ' arsa an sclábhaí leis féin.
'An bacach ! Mar dhea nár chuala sé an corrán! Nár
bhodhar a bhí an scraiste ! Thaispeánfadh Micil Sheáin
Éamoinn dó cad a bhaineann le bodhaire.

' *Up Redmond !* ' Bhí sé ráite aige sar a raibh uain
ag a chiall é stop. Ní raibh leigheas air anois ach leanúint
air ag baint an aitinn agus fanúint féachaint cad a dhéan-
fadh Tomáisín. Glór ina cheann a cheap sé siúd a chuala
sé ar dtús, ach do réir a chéile chuaigh sé i bhfeidhm air
gurbh é an t-ainchríostaí ar an gclaí a bhí ag glaoch faoi.
Stad sé. D'iompaigh sé timpeall. Idir dhá bhuille den
chorrán ba léir madra ag tafann ar an taobh thall den
ghleann. Ní raibh ciall leis ach—

' *Up O'Brien !* ' ar seisean, ard go leor agus géar go
leor ach ná cloisfí ar an taobh thall é. Bhí sásamh air gur
choinnigh sé stuaim air féin. Ach thaispeánfadh sé don
bhfear nárbh aon sop ar bhóthar é. Sea, bhí eagla ar an
bhfear istigh féachaint sna súile air. Bhí sé mar dhea ag
gabháil de stumpa aitinn. D'fhágfadh sé ansin é, a cheacht
múinte dhó. Bhí sé ag braith imeacht díreach nuair—

' *Up Redmond !* ' arsa an fear istigh arís. D'iompaigh
Tomás air d'urchar. Is amhlaidh a bhí Micil tar éis seile

a chaitheamh ar a dhearnain agus buille mór cróga á
bhualadh aige ar an stumpa ramhar. Ag iarraidh a
charráiste a choinneáil suas a bhí sé gan dabht ar bith.

' *Up O'Brien !* ' arsa Tomáisín, níba ghéire ná cheana.
Ansin d'fhan sé go raghadh sé i bhfeidhm ar an bhfear
eile, go gciúnódh sé é. Mar a bhí coinne leis ní tháinig
aon fhreagra. Bhí Micil ag baint leis. Bhí buillí
acmhainneacha á mbualadh ar gach aon ní i bhfoirm
stumpa dá dtáinig roimhe.

' *Up O'Brien !* ' arsa Tomás arís á thriail go maith.
Níor lig an fear eile air go gcuala sé é. Bhí Tomás sásta
agus chas sé chun dul abhaile caol díreach. Ag an neomat
sin—

' *Up Redmond !* ' ó Mhicil. Tháinig an-anam i dTomás.
D'iompaigh sé ar a sháil agus siúd leis go bagrach go bun
an chlaí.

' *Up O'Brien !* ' ar seisean suas le Micil.

' *Up Redmond !* ' arsa Micil ag scor den obair.

' *Up O'Brien !* '

' *Up Redmond !* '

' Stóin, *Up O'Brien !* adeirimse.'

' Tá O'Brien lofa ! '

' Ar phingin tharraingeoinn stiall den bhata seo ort ! '

' Agus cad a bheadh á dhéanamh agamsa lem ghabhlóg
gan tú bheith buailte agam agus fágtha sínte id chuid
fola.'

' Mar ná raibh an méid sin misnigh riamh ionat ach
tú id shéacla cois tine ag do mháthair ! '

' Ní bhfuaradh mo mháthair ciontach i ngadaíocht
riamh mar fuaradh do shin-sheanathairse.'

'Nárbh é do shin-sheanathairse é chomh maith, agus is mór an náire é tharraingt anuas eadrainn.'

' *Up Redmond !* ' an freagra ag Micil air sin.

' *Up O'Brien* a dhiabhail ! ' a liúigh Tomáisín, agus a ghiall sáite amach aige gur chuma é nó soc báid.

' *Up Redmond !* ' arsa Micil chomh mear agus thiocfadh sceamh ón madra.

' *Up O'Brien !* ' de bhéic.

' *Up Redmond !* ' de sceamh.

' *Up O'B—* '

' *Up Re—* '

' *Up—* '

' *Up—* '

Bhíodar ag sárú a chéile go raibh an bheirt ag béicigh agus gan éinne ag éisteacht. Bhí a n-aighthe ar lasadh ach ba dheirge Tomás. Chomh maith leis sin bhí an anál ag teip air. B'éigean dó an fód a fhágaint ag an bhfear eile.

' *Up Redmond ! Up Redmond ! Up Redmond ! Up Redm . . . .* ' Bhí giorranála ar Mhicil chomh maith agus braonacha allais lena éadan.

' Tabhair do bhóthar ort anois ! ' arsa Micil, ' fhaid atá tú buíoch díot féin.'

' Ní thaispeánfása an bóthar dom, ná éinne a bhain leat,' arsa Tomás, an easpa anáile á chloí fós.

' Téigh abhaile a shéacla sara gcailltear den laige tú ! '

' Is olc a thagann sé chun baile dhuitse laige a chasadh le héinne. Ar ndóin ní mó má thuillis scilling riamh, ach tú id spreota sa tslí ar do mháthair.'

' *Up Redmond !* '

' Dá maireadh an té ar leis an claí ní bheifeá chomh neamhnáireach ar a mhuin.'

' *Up Redmond !* '

' Is diabhail an obair é agus an chuma go bhfuil tú ag maireachtaint ar na O'Briens. Murach iad ní bheadh greim ná bolgam agat.'

' Imigh ort abhaile a anacróir leointe ragmhuinéalaigh !'

' Bhí ragmhuinéalaí ar t'athair féin.'

' Agus ar sheanathair t'athairse a ghoideadh na caoire !'

' Dia linn ! Ná ligfeá de ithiomrá ar na mairbh ! Agus ar ndóin tá a fhios agat nár ghoideas féin luach feoirlinge ó éinne riamh.'

' Ní chuirfinn thar O'Brien é.'

' Ní chuirfinnse thar Redmond é !'

' B'fhearr duit dul abhaile, má ligeann an seanbhean isteach tú.'

' B'fhearr duitse ligint do dhaoine gabháil an bóthar agus gan bheith ag glaoch as a dtóin mar bheadh púca i dtor.'

' *Up Redmond !* '

' Bhíos-sa im lá agus ba ghearr an mhoill orm d'easnacha a ghreadadh.'

" Ní ghreadfá inniu ná aon lá mé ! "

' Bí ar do chosaint más ea, *Up* le O'Brien ! ' arsa Tomás Liath ag tarraingt stiall dá bhata ar an bhfear eile. Tharraing Micil siar uaidh. Thogair Tomás buille eile a chur chomh fada leis ach ní shroichfeadh sé. Ansin is ea léim Micil ina threo agus thug an ghabhlóg sa mhala don tseanduine. Thit sé, a chuid fola leis.

' Imigh leat anois, imigh leat ! ' arsa Micil go bagar-
thach. D'éirigh Tomás ar éigin. Bhí a bhata ina dhóid fós.
Thriail sí santach a thabhairt fána chéile comhraic,
ach ní bhéarfadh a dhá liúngán cos an fhaid sin é. Lúbadar
faoi agus thit sé ar a chorra giob. Bhí meadhrán ina
cheann agus an radharc ag teip.

' Imigh leat, imigh leat, faid atá tú ábalta air ! ' arsa
Micil. Chuir Tomás na cosa faoi arís agus ghlac sé an
chomhairle. Nuair a bhí sé imithe tamall beag le mórdhua
chuimhnigh sé air féin.

' *Up O'Brien !* ' ar seisean.

' *Up Redmond !* ' arsa an fear eile.

' *Up O'Brien !* ' arsa Tomás ach lean sé air sa tsiúl
Ghabh sé ar aghaidh thar bhothán Mhicil. Bhí sé chomh
lag leochailleach sin nár fhéad sé ceart a thabhairt don
bhfearg a bhí ina chroí. Bhí an fhuil ag titim óna ghrua
síos ar a chuid éadaigh.

Níor mhór dó é féin a ní ; agus braon fuiscí dá mbeadh
aon fháil air. Bhí teach uí Néill roimhe amach agus
baintreach mhórchroíoch ann. Thuigfeadh sí sin dó.
Nárbh é Mártain ó Néill féin an *O'Brien* ba mhó sa
pharóiste ? Nárbh é a bhíodh mar chathaoirleach ar na
cruinnithe ? Fear tréan ! Chun a thaispeáint gur mhó
a mhisneach ná na *Redmonds* chuaigh sé sa chogadh.
Bhíodh na *Redmonds* ag caint ar dhul ach chuaigh seisean.
Níorbh fhada ina dhiaidh sin gur cuireadh fá ghuidhe an
phobail é. Bhí an bhean bhocht croíbhriste. Níorbh
ionadh é agus an fear breá a bhí caillte aici. Bean mhór-
chroíoch. Bheadh an braoinín fuiscí istigh aici gan dabht
ar domhan. Bheadh a fhios aici an neomat a chífeadh sí

é go raibh sé féin agus a cholceathar Tomás ag troid arís.
Bheadh a fhios aici gur i dtaobh O'Brien é. Chuirfeadh
sin a fear i gcuimhne dhi! Á! B'fhearr gan . . . .
Raghadh Tomás thairsti. Chuimil sé an fhuil as a shúil
le mainchille a chasóige.

SCIUIRD GO MAGH CHROMTHA

MAR BHAILE greanta ar chárta poist is ea
d'fhéach sé chugam. Bhí gach aon rud ina chrot
ceart féin ach bhí an scála róbheag. An muileann,
an caisleán, an teampall, ní raibh tiús in aon cheann acu.
An Sléibhín féin, a shíleas tráth bheith ar an áit ab airde
ar domhan, bhí sé ansiúd os mo chomhair ina phortán
mín réidh, agus páirceanna suas go dtí na bharr. Bhí
cocaí féir i gcuid acu. Bhí arbhar ag aibiú i dtuilleadh acu.
Páircíní beaga, ní hionann agus iad siúd go raibh taithí
againn orthu ar an taobh thall. Cúig bliana déag go
cruinn a bhí imithe ó rug m'athair agus mo mháthair leo
mé anonn thar farraige. Ní raibh na naoi mbliana slán
agam an uair sin. D'fhásas suas ar imeall chathair Bhoston.
Chuireas aithne ar an gcathair sin agus ar an dúthaigh
timpeall. Ach ní baol gur imigh mo bhaile dúchais as
m'aigne. An mhuintir ba shine ná mé ní raibh stad orthu
ach Magh Chromtha ina mbéal de ló agus d'oíche. Ní
raibh cúil ná cúinne, lána ná camphóirse nár coimeádadh
os comhair mo aigne, agus ní raibh ceardaí sa tsráid ná
go bhféadfainn a chuntas a thabhairt go cruinn, agus ina
bharr sin, seanchas seacht nglún a dhéanamh air. Ach ní
chun na seanmhuintire fheiscint a bhíos-sa ag filleadh ar

mo dhúchas. Bhí gnó contúrthach idir lámha agam. Bhí teachtaireacht agam do X—ó cheann na ' gluaiseachta ' thall . . .

Do stad an traen chomh hobann sin gur bheag ná gur leagadh den tsuíochán cruaidh adhmaid mé. Seantán duairc smúiteach an stáisiún. Nuair fhéachas timpeall orm tháinig gach aon rud chun mo chuimhne, an seomra feithimh, an clár ama, an t-inneall meáite. Nach greann-mhar an saol é, an uair dheireannach a luigh mo shúil orthu shamhlaíos gur chuid de iontaisí an domhain iad. Bhí paisnéir eile romham amach, seanduine beag tóstalach a raibh culaith dhubh air agus hata cruaidh. Tháinig giolla an stáisiúin agus barra á thiomáint aige. Stad sé ag caint leis an seanduine agus, ar m'anam, Gaeilge a bhí á labhairt acu—Gaeilge láidir bhinn a chuir draíocht ar mo chluais. Ní fhéadfainn cos liom a chorraí ach ag éisteacht leo. Ansin d'aithníos an giolla—Pádraig ó Murchú, nó Peaidí Bhaile Mhuirne mar thugaidís air. Ní raibh lá aoise tagtha air ó fhágas. Nuair a bhí an seanduine bailithe leis d'iompaíos chun Peaidí.

' Gabh mo leithscéal,' arsa mise, ' an bhféadfá treoir a thabhairt dom chun tí ina bhfaighinn cóir bhídh agus lóistín d'aon mhaith ? '

D'fhéach sé idir an dá shúil orm. Scaoil sé de charraí an bharra. Bhain sé de a chaipín, chuimil a bhois dá éadan agus d'fhéach arís orm.

' Tabharfadsa treoir dhuit agus fáiltc,' d'fhreagair sé go mór-uchtúil. ' Agus go deimhin féin ní minic stroinséir ded leithéidse ag spalpadh Gaeilge.'

' An amhlaidh ná fuil sí chomh maith le haon teanga

eile ? ' arsa mise agus mé ag iarraidh gan gáire a dhéanamh faoina phostúlacht.

' Mura mbeadh agat ach í ní bheadh culaith dhuine uasail ort mar atá.' Chonaic sé nár fhág an méid sin focal agam agus bhí sé an-mhórálach. Shiúlamar cois ar chois go geata. Bhí an príomhshráid ag síneadh romhainn siar, Carraig Scabaill agus Bealach a' Scoirín soir uainn. D'aithin mo shúil gach aon leac, gach aon doras, gach aon fhuinneog, gach aon simné. Bhaineas lán mo shúl astu, i gan fhios dó.

' Buail romhat síos an tsráid seo go mbeir sa Chearnóg agus an caisleán ar t'aghaidh amach. Beidh an caisleán ar do láimh chlé agus lean ort go réimdíreach síos Céim na Braighdile agus anonn thar droichead. Chífir Bóthar Mhassey fan na habhann ó thuaidh. Ná hiompaigh an treo sin ach déan ar t'aghaidh suas an bóthar leathan os do chomhair siar, is é sin Bóthar na Sop. An chéad teach tábhairne i leith na láimhe deise, sin é teach Chonchubhair uí Mhuirithe agus is ann a cuirfear cóir ar fónamh ort.' Ar ndóin ní raibh aon ghá agamsa le treoir ná teagasc ach ba bhinn liom Peaidí a chloisint ag caint agus ar a dhealramh ba bhinn leis féin é. Nuair a luaigh sé teach uí Mhuirithe tháinig míshuaimhneas orm mar sa teach sin díreach a bhí coinne déanta dhom féin agus do X.

Mar sin ghabhas buíochas leis go múinte, ach am basa ní rabhas scartha fós leis.

' Cogar a dhuine uasail,' ar seisean, ' an miste dhom a fhiafraí dhíot an rabhais riamh sa bhall seo cheana ? '

' Ní rabhas, ná feiceann tú mé gan eolas na slí agam.'

' Gabh leor liom má shamhlaíonn tú fiosrach mé, ach

ní siar Ré na nDoirí bheifeá ag gabháil go dtí an Ridire
Baldwin ? '

' Ní hea,' arsa mise, agus géire im ghlór dem ainneoin.
' Níl aon chur amach agam air.'

' An mar sin é anois ! Bhuel, bhuel ! Ach b'fhéidir
gur mhaith leat dul ina threo. Tá Gaeilge aige féin agus
ag a chlann chomh maith agus tá sí ag éinne. Ní chloisfeá
focal di in aon teach mór eile.' Geallaim duit go raibh trí
chéile ag teacht orm. Ní fheadar cad a dhéanfainn chun
a chuid fiosrachta a mhúchadh. Chaitheas scilling chuige.
Tháinig ionadh air. Tháinig agus tuilleadh fiosrachta.
Cé an donas a bhí orm agus aon speic a chuir air nuair
a bhí eolas na slí go maith cheana agam ? Cad iad na
seacht ndonais a bhí orm agus labhairt i nGaeilge leis ?
Dá mbeadh fios ag X é— ! Chuireas mo shrón san aer
agus labhras anuas chun Peaidí.

' Mac léinn i gColáiste na Tríonóide is ea mé. Is ann
a d'fhoghlamaíos an Ghaeilge agus is maith liom í
chleachtadh anois agus arís. Tháinig mé anseo ag lorg
athrú aeir agus chun suaimhnis cúpla lae a ghlacadh.
Slán agat.' Bhíos imithe deich slata uaidh sar ar iompaigh
sé isteach sa stáisiún arís. Ní hamhlaidh fhéachas siar ach
chuala an dá bhróig mhóra ag meilt na gainimhe. Mura
mbeadh an gnó a thug mé nach agam a bheadh an spórt ?
D'fhéadfainn Peaidí a ghlaoch air agus rudaí a chur i
gcuimhne dhó, agus ní fhéadfadh sé dhéanamh amach
cérbh mé go n-insinn féin é.

Ag gabháil síos an phríomhshráid dom chuir sé ionadh
orm a laghad daoine d'aithníos. Níorbh aon ionadh an
t-aos óg a bheith thar m'eolas ach beirt sheanduine a bhí

ina suí ar lic fuinneoige theipeadar sin leis orm. Agus na mná a raibh na clócaí fada grástúla ag folach a gcinn, ba mhar a chéile fhéach gach duine acu chugam. Ach bhíos deimhnitheach go n-aithneoinn na fir mheánaosta. Bheidís sin dálta Pheaidí gan puinn athrú orthu.

Timpeall doras tí an mhargaidh bhí scataí páistí ag súgradh go hardghlórach. Bhí camáin bhriste ag cuid acu agus iad á láimhseáil in aimhriocht gunnaí. Bhíodar a tiomáint an chuid ab óige rompu an geata isteach agus níor róchneasta an tiomáint í. Deireadh fear gunna :

' Fanaigí ansin anois sa bhóna go bhfógróm scot oraibh.'

Agus deireadh duine eile :

' Má leomhann éinne agaibh corraí cuirfead a lán seo trína chroí.'

Agus duine eile :

' Nach *grabber* tusa agus ná caithfir déanamh mar a déarfar leat ? Ní haon chabhair duit bheith ag gol.'

Thugadar faoi deara mé ag faire orthu agus chiúnaíodar beagán. Nuair a bhíos gafa tharstu liúigh duine acu im dhiaidh *Up Parnell !* Níor ligeas orm pioc. Ansin do liúdar go léir *Up Parnell !* agus *Grabbers Beware !* Ach bhí mó shúilese anois ar an gcaisleán agus ar na spící meirgeacha os cionn an gheata ann. Ba mhinic a chuala mar a cuireadh cinn Chlainn Chárthaigh ar na spící sin trí fhianaise Mh'leachlainn uí Dhubhagáin, nó ' Malachi an Cladhaire ' mar a thugaidís air.

Seo im choinne beirt chonstábla ag siúl go mallchéimeach agus gan focal á labhairt acu le chéile. Thugadar stracfhéachaint im threo, ach ní orm a bhí a n-aire ach ar na páistí a bhí ag súgradh taobh le geata tí an

mhargaidh. Is é rud is mó a luigh ar m'aigne, conas mar
a bhí na maillí tarraingthe os cionn na súl acu díreach
mar a bhíodh fadó. I mBoston is iad na bithiúnaigh agus
lucht pioctha pócaí a bhíonn ag glinniúint ar an gcuma sin.
Ní fhéadfainn dul thar an droichead gan m'ucht a
ligint ar an slat agus seal a chaitheamh ag féachaint in
uisce dhorcha an tSoláin. Chonac mo scáil féin ann agus
áirse an droichid agus barr an chaisleáin agus an pictiúir
go léir ar ballchrith leis an gcorraí beag a bhí in uachtar
an uisce. D'imigh an pictiúir sin as m'aigne agus fuaireas
mé féin go ceathrúin san uisce, próca gloine á thógaint in
airde agam agus mé ag comh-mhaíomh lem chairde go
raibh príosúnach gafa.

' Hurrá ! Tá spotaí dearga air. A gharsúna, féachaigí
an bradán.' Cnead lem thaobh a dhúisigh as an taibh-
reamh mé. Óganach tuaithe, a cheann thar an slat aige,
agus a shúile sáite san uisce aige féachaint an bhfeicfeadh
sé an ní a chonacsa. Ach bhí sé fuar aige, mar ní raibh ann
anois ach ár n-aighthe féin, áirse an droichid, agus barr
an chaisleáin.

Shiúlas liom mar bhí fhios agam ná raibh ach an t-aon
ghnó amháin gur cheart dom bheith ag cuimhneamh air.
Níor iompaíos anonn Bóthar Mhassey, agus ag bun
Bhóthar na Sop bhí siopa an tairneora. Fadó bhíodh an-
shuim agam sa té ar leis é. Bhíodh sé ag obair ag an
bhfuinneoig agus bhíodh dhá phíosa slat ardaithe aige,
ceann acu á ghoradh sa tine faid a bheadh sé ag obair ar
an gceann eile. An chuma le haicillíocht go ndéanadh sé
an t-iarann dearg a phointeáil agus ansin le haon bhuille
géar amháin an tairne a theascadh anuas, dob ionadh saoil

é. Ní baol go mbuaileadh sé buille iomraill choíche. Rinneas suas mo aigne gan stad anois ag féachaint air le heagla aghaidh dhuine éigin eile a tharraingt orm. Níor ghá dhom sin. Ní raibh sé sa bhfuinneog. Bhí bacáin ann agus cláiríní speile, agus bosca leathlíonta de thairní monarchan. Bhí neadacha ruáin alla agus salachar smúite go tiubh ar a raibh ann. Bhí doras an tsiopa dúnta.

Os comhair dorais tí uí Mhuirithe bhí trí capaill faoi chairteanna. I ngach cairt acu bhí málaí móra mine agus máilíní beaga plúir. I lár na cairte deiridh bhí bean ina suí ar mhála mine. Bhí falaing dhubh tuaithe thar a gualainn. Bhí a gruaig i leith na léithe ag a héadan. Bhí aghaidh bhog mhánla uirthi cé gur aghaidh lom í. Bhain sí lán na súl asam ach ní déarfainn gur le fiosracht é. Súile móra liathghorma ab ea iad. Chuireadar i gcuimhne dhom súile naoimh a d'fhéach orm as pictiúir sa Louvre agus mé ag feitheamh ann le duine ná hainmneod. Bhí an doimhneas céanna i súile na mná seo, an brón céanna, an ghaois chéanna. Tháinig amhras orm go léifeadh sí rún mo chroí, ach thuigeas dá léifeadh ná scéithfeadh. Bhí bascaed lena taobh agus lámh aici air mar bheadh sí á chosaint ; nuacht éigin dá páiste b'fhéidir. Chuireas mo lámh ar m'ucht. Bhí teachtaireacht thábhachtach agamsa leis.

Ag an gcuntar istigh bhí triúr fear ina seasamh agus beirt bhan ar stólta. Bhí a gclócaí bainte díobh ag na mná agus níor mhiste dóibh é mar bhí gúnaí ramhra taimín orthu síos go béal a mbróg. Brístí bréide a bhí ar na fir ; cóta báinín ar dhuine acu agus casóga dubha ar an mbeirt eile. Bhí piúnt leanna os comhair gach fear agus dhá

ghloine a raibh gal astu os comhair na mban. Ba dheas
súgach an chuideachta iad agus ambasa Gaeilge a bhí
á labhairt acu.

Sa chistin is ea cuireadh béile romham. An seanduine
a chonac sa stáisiún, bhí sé istigh, agus nuair a bheannaigh
sé dhom, thugas aire dhom féin gan ach Béarla a labhairt
leis. Cainteoir binn ab ea é. Thosnaigh sé ar chomórtas
báire a bhí le bheith idir Magh Chromtha agus Cluain
Droichead. Ansin d'inis sé i dtaobh fear de mhuintir
Chríodáin in Uíbh Laoghaire a bhí le cur amach de
dheasca iascaireacht bhradán. Probháladh an cás sa
chúirt. Bhí ceathrar ó Bhaile Mhuirne os comhair na
cúirte céanna agus fuair gach duine acu mí príosúin agus
gan de choir ina gcoinne ach gur choisric siad iad féin.
Mar seo a tharla. Chomhairligh an sagart don phobal ná
raibh sé Críostúil gabháil thar an mbáille ar an mbóthar
gan beannú dhó. Mar sin, nuair a bhuaileadh daoine
deabhóideacha uime sé rud a dheinidís ná fíor na Croise
a ghearradh orthu féin agus 'In ainm an Athar agus an
Mhic agus an Spiorad Naomh' a rá go mór ard. Do
gháir an seanduine géarchúiseach. D'ainneoin mo dhíchill
thuig sé go maith cé an taobh ar a rabhas. Thosnaigh sé
ar an Rialtas agus ar Pharnell agus ar lucht pléascáin a
chur i Sasana. Bhí mo chluasa ar bior agam féachaint an
sleamhnódh aon fhocal uaidh i dtaobh X ach níor
shleamhnaigh. Tharraing sé chuige an *Freeman's Journal*
agus thaispeáin dom dréacht beag gairid ag bun leath-
anaigh. Cuntas ab ea é ar luíochán a rinneadh ar an
agent Hussey thiar ag Poll na Bró. Bhuail an piléar san ucht
é, agus mura mbeadh ionar cruaidhe a bheith air bhí

sé marbh. B'shin í an tríú huair aige na cosa a thabhairt
leis, agus bhí daoine ag glaoch ' Woodcock Hussey ' air
in aithris ar ' Woodcock Carden ' a bhíodh i dTiobrad
Árann. Bhí sé féin an-mhórálach as an leasainm sin má
b'fhíor.

Um an taca seo bhí sé ag déanamh ar a sé a chlog, an
t-am go raibh X chun bualadh liom. Ag cuntar an
tábhairne a bhí áit an choinne. Ní raibh aon phioc de
chuntas a phearsan agam, ach a ainm. Trí ainmeacha ba
cheart dom a rá óir d'athraigh sé a ainm i mbliain a '67
agus arís i Meiriceá nuair a bhí sé i gcló Francaigh. Nuair
fhill sé ar Éirinn tharraing sé chuige ainm eile fós .i. X.
Ní raibh fhios agamsa ar ndóigh cé an chéim a bhí aige
sa ghluaiseacht, ach thuigeas gur dhuine mór é . . . .

' Téanam agus ól rud éigin,' arsa mise. Stad an sean-
duine tamall.

' Níl aon bheann agam air, go bhfágfaidh Dia an tsláinte
agat. Ní bheidh aon easpa chuideachtan amuigh ort.'

Bhí an lucht tuaithe sa tsiopa fós. Bhíodar tar éis dul
i sultmhaire agus a nglór imithe i neart. Bhí beirt fhear
dea-éadaigh in áit leo féin ar leithligh, agus iad ag faire ar
lucht na tuaithe. D'aithníos duine acu. Ag mangaireacht
tae a bhíodh sé. Bhí ionadh orm é bheith chomh dea-
éadaigh. B'fhéidir go bhfuair sé ardú sa chomhlucht.
Chonac na capaill amuigh ina seasamh go foighneach.
Chlaonas mo cheann go bhfuaireas radharc ar an gcairt
deiridh. Ní raibh an bhean tar éis aon chor a chur di.
Bhí an mhánlacht chéanna ina haghaidh agus a lámh clé
sínte amach ar chliathán an bhascaeid á chosaint.

Agus mé ag tógaint an dara slog as an ngloine bhuail

clog an tséipéil Fáilte an Aingil. D'fhéachas i dtreo an
dorais. Ní raibh éinne ann. Chaitheas súil ar athmhang-
aire an tae agus ar a chomrádaí. Níor chorraigh éinne
acu. Cá raibh X ? Tháinig an seanduine géarchúiseach
i leith ón gcistin.

' Tá an iall ar scaoileadh id bhróig ' ar seisean liom.

Bhí an fhírinne aige. Nárbh amhlaidh a scaoileas d'aon
ghnó í. Ceann de na comharthaí sóirt ab ea é chun go
n-aithneoinn féin agus X a chéile. Ní fheadar cé acu
cheanglóinn é nó ná ceanglóinn ach bhíos deimhnitheach
nach aon dea-ghuidhe a chuirfinn leis an seanduine, ach
baineadh stad eile asam mar chonac—bhí cába a chasóige
iompaithe suas !

' Táim faoi chomaoin agat,' arsa mise, ' agus anois lig
dom cába do chasóige a cheartú.' Bhí creathán im láimh
agus an post seo á dhéanamh agam dó. Mhothaíos biorán
sáite san éadach agus biorán eile trasna air i bhfoirm X.
B'shin a raibh uaim . . . .

Bhí muintir na dtrucaillí ag áiteamh le chéile i dtaobh
dul abhaile. Chuaigh fear an bháinín go doras agus
ghlaoigh ar an bhean amuigh.

' Bíodh deoch agat, a Shiobhán, i gcóir an bhóthair.'

' Lig di ; ní haon mhaith bheith léi,' arsa duine de na
mná istigh.

' Deir an tAthair ó Cearúil ná brisfeadh gloine fíona
aon *phledge*,' arsa duine eile.

' Ná bac an *pledge*, bíodh aon deoch amháin eile againn.'

' Ná bíodh, a Thaidhg, ná bíodh.'

' Airiú ! Tá sé mórluath fós.'

' Ar meisce atá tú.'

' Ní hea ! '

' Sea ! '

' Ní hea, a stór ! '

Nuair a chonac ná raibh súile éinne orainn shleamhn-aíos mo theachtaireacht don tseanduine beag liath, do X. D'imigh sé. Ar éigin a bhí an doras socair nuair oscladh arís é agus seo isteach póilíní—im dhiaidhse.

BEIRT BHAN

NUAIR a tháinig an t-athrú sa tsaol agus nuair tréigeadh na Tithe Móra d'aistrigh Lady Bannon isteach go sráid chónaithe chomónta i nDún Maonmhuighe. Bean chaol ard ab ea í agus bhíodh róbaí fada dubha uirthi a chuireadh lena hairde. Bhí leicne loma mílítheacha aici agus bhí a cneas go rocach buí mar bheadh seanleathar. Bhí bior géar ardnósach ar a srón mar is gnáth ag mórchuid de shíolradh na Normannach. Na súile móra leathchlúdaithe ag na fabhraí, bhí dea- mhéin agus tuiscint an domhain iontu, agus ba é an gnó a bhíodh aici ó Luan go Satharn bheith ag déanamh carthannachta i measc na mbocht, ag teagasc na n-aineol- ach agus ag comhairliú lucht drochiompair. Bhí ard- mheas uirthi ag gach éinne, ag Gael, ag Gall, ag lucht gach creidimh, agus fiú amháin ag an mhuintir ná tógadh aon cheann de chreideamh. B'iad na bochtáin is mó bhí buíoch di, agus an chléir. An dream ba lú buíochais uirthi b'iad na cailíní aimsire. Ní fhanadh éinne acu ina teannta ach tamall gearr. Ní hamhlaidh a bhíodh sí dian orthu i dtaobh oibre ach ná ceadódh sí dhóibh choíche dul go halla rince ná go dtí áras na bpictiúirí. Agus dá mbéarfadh sí ar dhuine acu cois fuinneoige ag déanamh cnapshúile le hógánach bheadh ag gabháil na slí thabharfadh sí ordú gluaiste dhi sin gan mhoill.

Bhí sí féin agus na cailíní ainnis go leor le chéile gur chaolaigh chuici an tseod Máire ní Bhriain. Aniar ar bhus Bheantraí a tháinig sí seo, gan aon chuntas ag éinne cárbh as í go cruinn ná cérbh iad a daoine muinteartha. Cailín teann láidir ab ea í, néata gan bheith péacach. Bhí sí iarrachtín ceann-náireach agus cé go mbíodh sí deamhúinte leo siúd a chuireadh forrán uirthi, chuaigh díobh aon bhreis eolais ina taobh féin a phiocadh aisti. Mar ná raibh dúil aici in aeraíocht ní fhágadh sí an teach ach ar theachtaireachtaí. Ansin féin bhíodh dithneas abhaile uirthi. Dúirt gach éinne go bhfanfadh sí ag Lady Bannon go deo. Shamhlaigh an bhantiarna féin go bhfanfadh, ach bhí ponc beag amháin a chuireadh amhras ar a croí. Gach aon mhaidin Mháirt gheibheadh Máire litir bhán go mbíodh scríbhneoireacht láidir dubh amuigh uirthi. Ach tar éis an tsaoil cad é an díobháil litir inti féin gan aon ní eile ag cur léi ?

II

Bhí go maith go dtí an bhliain 1943 nuair cuireadh Arm na hÉireann trí Dheasmhumhain a dhéanamh cleachtadh cogaidh. Tháinig aon chéad déag acu chun cur fúthu ar feadh sealad i bhfaiche an Dúna. B'anróch an tsiúlóid a bhí acu ó Churrach Chill Dara aneas mar bhuaigh brothall na bliana sin ar aon bhliain dá dtáinig roimpi ná ina diaidh. Bhí na fir dóite traochta clogshálach. Bhí a n-aighthe liath ag allas agus ag cco bóthair. Ach ag teacht thar fiaradh an Chnocáin Réidh dóibh, mar a bhfuaireadar an chéad radharc ar cheann a riain, phriocadar suas iad féin. Chaitheadar siar na guaille agus dhíríodar na caipíní. Le tréan-iarracht thógadar a gcosa go pointeálta agus bhuaileadar amach ' clé - deas,' an réidhfhána síos, go bríomhar fearúil. Ansin thug an Cornal Mac Clúmháin an t-ordú. D'imigh an focal siar ó bhuíon go buíon. Bhéic gach oifigeach complachta amach, ' Dírigí Airm.' Theann gach fear a uille chlé lena chromán agus bhreathnaigh a ghunna. Ansin d'fhéach roimhe amach agus choinnigh a shúil ar fhíor na spéire. Tháinig urghairdiú meanman sa chipe go léir mar nárbh é seo an chéad uair go raibh arm ceart Gaelach ag déanamh campa go síochánta sa bhaile mór seo a bhí le fada an lá ina dhún ag Sacsaibh. Ansin labhair an bannamháistir lena fhoireann bheag féin. Pleancadh an druma mór trí huaire i dtreo gur chrith an talamh agus an t-aer. I dteannta a chéile phléasc na gléasa práis ar sheinnm, ceol meidhreach céimeach, *Máirseáil Bhrian Bóirmhe*. Tháinig tuilleadh lúth i siúl na bhfear agus borradh ina gcuisleanna ag freagairt don cheol. Ba dheacair aithint orthu go raibh slinneán tinn ina measc, scornach tirm, ná sál clogdhóite.

D'fhág muintir na dtithe a ngnó i leataoibh chun féachaint ar an radharc. Sheas na mná sa doras agus an páiste ab óige ina mbaclainn acu ; páistí ba shine ná sin táite lena sciortaí. Stadadh na cairteanna sna lánaí agus sna cúilíní as an slí. Lig duine liú molta thall agus abhus. Stop an díolachán agus tháinig cléirigh siopa i gcótaí bán no donn go dtí an doras a bhí plúchta cheana féin ag custaiméirí. Sna fuinneoga uachtaracha i dtithe taibhseacha bhí mná óga agus a súile dírithe ar an gCornal

Mac Clúmháin agus ar an gcuid eile bhí gléasta i gculaith oifigigh. Garsúin an bhaile bhíodar ag siúl i leataoibh i ndiaidh an bhanna agus truslóga fada acu á chaitheamh chun coimeád ar aonbhéim leis an druma mór. Ní raibh éinne den phobal bunaidh nár ghaibh racht gliondair é agus móráil tírghrá. Ba mhóide a misneach dá bharr nuair d'iompaíodar ar ais ar a ngnóthaí agus ar na gnáth-thrioblóidí.

Bhí Lady Bannon ag a doras féin, hata gréine ar a ceann, parasól ina huillinn agus í ar tí dul amach mar ba bhéas léi chun an tráthnóna a chaitheamh le dea-oibreacha. Chuala sí chuici an tsráid aníos an ceol meidhreach mear-chéimeach. D'fhéach sí agus chonaic na buíonta seolta d'fheara luatha ag déanamh ina treo. Bhíodar seo an-chosúil leis an arm go mbíodh oiread fáilte aici roimh a theacht fadó. Rith smaoineamh fiáin ina ceann ach dhíbir sí láithreach é. D'iompaigh sí isteach arís agus dhún sí an doras ina diaidh. Cad deirir ná gur rug sí ar an seodchailín Máire agus í sáite i bhfuinneog sa pharlús tosaigh. Bhí a haigne siúd chomh dlúth ar an gcibeal amuigh nár mhothaigh sí an mháistreás ag féachaint uirthi. Ní ar lucht éide na n-oifigeach ámh a bhí aire Mháire ná ar na buíonta eile fear, ach ar a haonghrá féin, an scoth saighdiúra, Seán Beag ó Laoghaire. Ní fhaca sí caipín cóirithe ná túinic fáiscithe ach caipín agus túinic Sheáin. Ní fhaca sí cnaipe práis ag spréacharnaigh, troigh lúfar, ná ceathrú córach ach cnaipí, troithe agus ceathrúna Sheáin. Ní fhaca sí den aon chéad déag ach an sárfhear, an scoth saighdiúra, Seán Beag néata ó Laoghaire.

Do phrioc Lady Bannon í féin ach níor ghortaigh.

Níor chuir sí isteach ar an gcailín, ach nuair a bhí ciúnas sa tsráid arís shleamhnaigh sí amach i bhfeighil carthannachta mar ba ghnáth léi. Más ea d'fhill sí i bhfad níos túisce ná d'fhill riamh roimhe sin agus fuair roimpi Seán an scoth saighdiúra ina shuí chun boird os comhair scoth bhéile. Ansin is ea thaispeáin sí uaisleacht na folaíochta a bhí inti agus airde a tabhairt suas. Chaith sí súil mhillteach ar an mbeirt i dtreo gur chúbadar roimpi. Go toirtéiseach údarásach d'éiligh sí ainm an tsaighdiúra, a ghradam, agus teideal a chomplachta. Ansin ag síneadh a lúidín clé go héifeachtach chun an dorais dhíbir sí as an teach é. Ach níor dhíbir sí an cailín. Thuig sí a hintinn siúd agus chuirfeadh sí smacht fós uirthi. An t-arm a bheith imithe an t-aon uair amháin, d'fhéadfadh sí súil chaoch a iompó ar an litir sheachtainiúil mar ba ródhócha go stadfadh sí sin uair éigin. Faid a bheadh an t-arm sa bhaile mór, ámh, bhí an chontúirt ag bagairt agus níor mhór di beart diongbhálta a dhéanamh. Bhí a spiorad muscailte agus a haigne ag oibriú ar mire luais. D'ordaigh sí do Mháire a gúnaí a chur amach—sea, iad a bheith réidh ullamh go dtoghfadh sí ceann le cur uirthi. Dhéanfadh sí gearán foirtil feidhmláidir leis an oifigeach ceannais agus níor mhór di bheith gléasta go cuí. Má ba oifigeach ceart é bheadh súil ghéar aige d'fheisteas. Dob eol di an ghéire bhí in oifigigh tráth ; oifigigh chearta, oifigigh dhílse, oifigigh a shíolraigh ó oifigigh. Dar ndóigh ní raibh a leithéidí siúd sa chuid seo den tír le fada an lá. Mar sin féin, ón radharc beag a fuair sí ar an bhfear tosach buíne ag gabháil thar doras déarfadh sí go raibh iompar míleata faoi.

III

Níor dheacair an Cornal Mac Clúmháin a fháil. Bhí sé ag cur faoi sna seomraí ba bhreátha sa Teach Ósta Impiriúil. Arís thug an bhean uasal faoi deara an chosúlacht a bhí idir é agus na hoifigigh a bhíodh ann sa tsean-réim. Bhí ucht leathan aige, ag brúchtadh tríd an gcrios *Sam Brown*. Bhí baic mhuinéil bhearrtha air. Bhí a chorrán géill fáiscithe corrghobach. Leis an iompar míleata bhí faoi agus an tuin teangan galánta a chuaigh lena dhealramh, rinne an bhean uasal dearmad ar feadh meandair den ghearán a bhí le déanamh aici. Ach tháinig a tabhairt suas i gcabhair uirthi, chuir sí smacht ar a smaointe féin, agus ba ghearr an mhoill uirthi an saighdiúir beag a dhaoradh.

Thug an Cornal sásamh di agus ba dhóigh leat ná leáfadh im ina bhéal. Ghabh an bhean uasal buíochas leis go caoin dea-bhéasach. D'fhágadar slán ag a chéile go galánta ardnósach. Chuireadar in iúl dá chéile an lúcháir a bhí orthu gur casadh ar a chéile iad. Ansin, mar fhocal scoir, thug an bhantiarna cuireadh don Chornal teacht ar cuairt chuici an tráthnóna bhí chugainn . . . .

Bhí taithí mhaith ag an gCornal ar fhlaithiúlacht taobh istigh agus lasmuigh den bheairic. Is mó dinnéar a chaith sé i dteannta chathaoirligh chomhairlí baile thall agus abhus. Is mó oíche mhaith a chuir sé isteach ar chostas coistí tírghrácha. Ach b'é seo an chéad chuireadh a fuair sé ó éinne d'uaisle na seanréime. Go deimhin bhí sórt scátha air ag dul chun an tí. Nuair a hoscladh dó dhearg sé san aghaidh, agus thréig cumas a bhall é beagán, ar amharc an té a bhí ag cur fáilte roimhe. Má bhí spéirbhean sa saol b'shin í í. Bhí a cabhail fillte i ngúna dalltach airgid sróil. Bhí gaethe ag teacht as péarlaí a brád a bhuaigh ar an solas láidir agus a chuir cróntacht na sláinte ar a cneas. Ba léir rialtacht a déad cailce agus bhí na súile liathghorma chomh gléineach, chomh géar, chomh neamheaglach le lann chlaímh. Ar feadh neomait b'fhearr leis an gCornal ná beadh sé tar éis teacht ar aon chor. Ach bhí béasa na mná chomh lách soineannta sin gur chuir sí chun suaimhnis gan mhoill é. D'fhéad sé é féin iompar mar ba chóir ag ól onóra an chlaímh. Thug sé díol molta don bhord dea-leagtha. Bhí máistreacht ar a theanga agus ar a ghéaga arís aige. A anam an uair seo a bhí ag dul thar a chumas. Bhí sé faoi dhraíocht ag pearsantacht a chéile boird. Tuigeadh dó cheana féin go bhfaigheadh a samhail seilbh i seomra folamh a chroí. Níorbh éinní leis go mbíodh, dathad bliain ó shin, an tsamhail chéanna i gcroíthe oifigigh i gcampaí catha chomh fada ó bhaile le Karachi nó Khartoum. Bhí sé fá dhraíocht agus ní fhaca sé ach éadroime agus solúbacht na hógmhná sa tsamhail. Bhí mire agus neart an tsaighdiúra oilte ann féin. Ní bheadh a sárú mar bheirt sa Churrach ach go dtiocfadh sí leis.

Chuaigh sé trí chroí Mháire freastal orthu. Mhéadaigh a fuath don bheirt nuair a chonaic sí a ionmhaine agus bhíodar le chéile. Do réir mar bhí na cúrsaí á nglanadh agus an scannán ag ísliú sna buidéil chuala sí blúiríní cainte a chuir oiread sin ionadh uirthi go ndéanadh sí dearmad den fhuath ar feadh tamaill. Nuair théadh sí i dtaithí an ionadh thagadh an fuath ar ais níba ghéire mar bhíodh tuilleadh cúise leis . . . .

79

F

IV

Is mó cime ardchéimeach sa stair gur éirigh leis a
gheimhleacha iarnaí a réabadh, agus briseadh amach as
carcar daingean cloiche. San áit go raibh Seán ó Laogh-
aire ar C.B. ní raibh timpeall air ach léana oscailte páirce.
Ní bheadh aon mhoill air éaló amach. A aghaidh a
thabhairt ar an mbantiarna arís, b'shin scéal eile. Ina
theannta sin bhí an cócaire tar éis insint dó go raibh an
Cornal imithe an treo sin agus fuadar faoi. Rinne glan-
tóirí na mias geoin den scéal—' cornal cothaithe ag imeacht
ar chosa in airde i ndiaidh a-dó-fá-ceathair de sheanfhráma
fuar folamh caillí.' Ach tháinig gruamacht ar Sheán.
Chaith sé uaidh scian scúite na bprátaí agus lean sé lorg an
Chornail. Dul i dtreo tí ina raibh oifigeach ag suirí,
b'shin rud nach ndearna saighdiúir singil ó cruthaíodh
Mars. Ach cá bhfios go bhfaca an bioránach mór aon rud
sa tseanbhean. Nár dhóichí gurbh i Máire Bheag a bhí a
dhúil.

Shroich sé ceann a riain díreach le linn an bheirt a bheith
ag tógaint an chéad scíobas as an *decanter* a bhí socraithe
ar bhoirdín acu le hais an toilg. Ní raibh oiread fáilte ag
Máire riamh roimhe. Rinne sí iarracht tabhairt faoi i
dtaobh é féin a chur i mbaol, ach ní ligfeadh a croí di é.
B'éigean di sa deireadh admháil ná raibh aon bhaol ann,
nár mhothaigh sí í féin riamh chomh saor ó shúil an
Bhantiarna agus mhothaigh sí an neomat sin, agus nár
dhóigh go mbeadh éinne de spiairí an Chornail ag lorg
Sheáin sa teach ina raibh an boc mór féin . . . . Bhí sé
ag dul i ndéanaí san oíche sarar chuimhnigh an aoi cosc-
artha ar imeacht. Choimeád an bhantiarna an doras ar

leathadh dhó, chun go mbeadh solas aige síos na céimeanna. Chuir sé a lámh chun a uisne ag fágaint slán aici agus d'ardaigh sise a lámh chlé, a méireanna ag oibriú san aer mar bheadh sí ag seinnm piano. Bhí sé sloigthe sa dorchadas sarar dhún sí an doras, gan an trup is lú fothram a dhéanamh.

Bhí ionadh uirthi ná raibh Máire ag ceann an staighre ag feitheamh le orduithe. Síos léi féin go mall ciúin. Bhí doras na cistine ar oscailt beagán i dtreo go raibh scoilt idir an comhla agus an fráma. Chuir sí a súil sa scoilt ar feadh leathshecund. Níor fhan sí níos sia ná sin mar bhí iomarca tabhairt suas uirthi. Rud eile bhí go leor feicthe aici. Chuir sí an staighre in airde dhi arís go ciúin.

Pé acu chonaic Máire loinnir bheag sa scoilt nó airigh sí coiscéim ar an staighre ní fhéadfadh sí a rá ach mhothaigh sí go raibh an mháistreás ina comhgar ag faire uirthi. Thug sí Seán amach thíos agus d'fhág slán aige go ciúin dithneasach. Ansin thug sí a haghaidh an staighre in airde agus paidir ina croí.

Bhí solas gléineach sa halla thuas. Bhí an Bhantiarna ina seasamh ann ; í níos airde ná bhí riamh, agus níos maorga. Ach ba léir mánlacht neamhghnáth ina haghaidh i dtreo go dtáinig dóchas chun Máire. Bhí an gúna sróill dalltach le soilsíní beaga gathacha ach d'fhéadfá féachaint suas ar a haghaidh gan dua. D'fhan an bheirt ag féachaint sna súile ar a chéile ar feadh neomait. Níor tháinig focal as a mbéal. I gcaint na súl labhradar an chanúint chéanna. Ní máistreás agus cailín cistine a bhí iontu an turas seo ach beirt bhan.

81

AN BRÁTHAIR SEÁN

DÍREACH taobh amuigh de gheata na mainistreach a tógadh sráid nua tithe a bhain le scéim an bhardais. Bóthar an Phiarsaigh a glaodh uirthi. Do haistríodh amach inti an mhuintir a chónaigh sna Mowlesworth Mansions. Ní fada bhíodar aistrithe nuair chuireadar in iúl iad féin do na manaigh. Rinneadar a gcuid féin de thalúintí na mainistreach. Bhídís sa tséipéal, ar an bhfeirm agus ag siúl na gcasán i measc na dtor. Aimsir bhrothaill bhíodh mná ina suí ar shuíocháin ann ag clabaireacht, na páistí ag imeacht uathu, ag satailt ar bhláthanna agus ag béicigh. Ní nach ionadh ba ghearr go raibh an áit istigh chomh lom feannta nach mór leis an sráid nua amuigh. Cuairteoir Domhnaigh adúirt go gcaithfí an seoladh athrú feasta, mar nár mhainistir a thuilleadh í ach Bóthar an Phiarsaigh Uachtarach. Fuair an tAthair Cutbert an-shult sa mhéid sin mar bhí fhios aige go raibh a chothrom sin d'athrú ag teacht ar an sráid. I seomra suite gach tí bhí pictiúir den Athair Nioclás a fuair bás roinnt bhlian roimhe sin agus cáil naoimh air. Taobh istigh de gach doras halla bhí Cros Chéasta curtha suas agus cadhain uisce coisreactha fúithi díreach mar bhí i halla na mainistreach. Sna plásóga beaga amuigh bhí

fálta pribhéide á gcur, toir labhrais, agus crainn bhosca a
tugadh ina sciollóga ón mainistir. Bhí na daoine féin ag
dul i rialtacht. Lá na cúirte dúirt an Giúistís Ó Deargáin
gur bhraith sé uaidh a sheanchairde na *Mowlees,* agus
cé gur mhór é a chion orthu go mb'fhearr leis as an
gcúirt iad.

Bhí cuid de na manaigh teasaí go maith ach bhí an
Bráthair Seán foighneach. Bhí cuid acu borb ar uaire
ach bhí an Bráthair Seán de shíor chomh cneasta le
Antoine féin. Fear ard lom ab ea é. Bhí súile smaointeacha
aige agus a ghuaille cromtha go mánla. Ní raibh aon
teora leis chun glasraí a chur ag fás agus fálta a chur i
dtreo. Ach i leagadh amach na gceapóg bláth ealaíontóir
críochnaithe ab ea é. Ná tagadh an tEaspag sa Bhealtaine
gach bliain chun an seó fheiscint ! An chéad Bhealtaine
eile ?

I dtosach an earraigh, an bhliain seo, nuair a bhí na
póir ullamh le tógaint as an teach gloine chuimhnigh an
Bráthair Seán ar sheift. Le cead ón bPriaire scríobh sé
amach ar chláiríní fógraí ag rá ' Ná bain leis na plandaí.'
An chéad lá breá a tháinig tharraing sé chuige na póir
agus thosnaigh ar chur gan mailís ar bith ina chroí.
Bhailigh an chuid ab óige de na Piarsánaigh timpeall air.

' Is breá an rud go gcuireann siad suim in iontaisí an
tsíolchurtha agus an fháis,' ar seisean ina aigne féin, agus
gheal a mheanma. Níorbh fhada ámh gur thosnaíodar
ag cur isteach air. Nuair theastaigh an rámhan uaidh bhí
sí á húsáid mar ghléas cogaidh. Bhí a chuid cordaí ag
tiomáint ' capaill.' Na cláiríní fógra a chuir sé suas chomh
cúramach sin, bhíodar imithe i bhfad síos ag iomáint

liathróide spoinc. Mhothaigh sé a chuid feirge ag éirí ach
tharraing sé chuige an seanchleas, is é sin guidhe ar son
an té ba ciontach léi. I rith na bliana roimhe sin an tráth
chíodh sé gearrchaile ag goid bláth nó fear ag cur meacan
ina phóca ba ghnáth leis 'Go dtuga Dia dhóibh bheith
ag féasta na bhFlaitheas' a rá. Anois in ionad an ghram-
aisc a thiomáint uaidh ghuidh an Bráthair Seán go dúth-
rachtach, 'Go dtuga Dia dhóibh bheith ag súgradh i
nGairdín Párthais.'

An cur déanta go healaíonta agus ní tháinig aon eascar.
Bhí fás buacach ámh i ngairdíní na sráide. Gach uair a
ghabhadh sé tharstu mhothaíodh an Bráthair Seán taom
beag éada. San Aibreán lean a fhearann féin lom ach
amuigh bhí dathanna geala na mbláth ag bogadaigh sa
ghaoith. Ag Bean uí Riain a bhí an taispeántas ba
bhreátha. Chuaigh sé trí chroí an Bhráthar cuimhneamh
ar an lá tháinig Tarlach beag ómósach ó Riain ag iarraidh
barra aoiligh. Thóg sé leis cúig barraí agus ansin níor
fhill sé a thuilleadh. Ná níor fhill an barra. Nuair cuir-
eadh fios air níorbh fhéidir a thásc ná a thuairisc fháil.
Ach má shloig an talamh é d'aisigh sé arís é, mar lá i
Mí Aibreáin dá raibh an Priaire ag gabháil thar Cúinne
uí Chonaill chonaic sé Bean uí Riain ag reic '*Cheap
Flowers!*' agus bhí an barra ina haice. Barra na mainis-
treach ar thaobh sráide agus é lánualaithe le borb-bhlátha
a fásadh as póir na mainistreach, le raidhse an aoiligh
ba shaibhre agus ab fhearr téagair i gclós na mainistreach!
B'shin iad go díreach na focail a dúirt an Priaire an tráth-
nóna sin agus é ag cur an scéil trí chéile. Nuair a bhí sé
críochnaithe bhí an Bráthair Seán trí chéile chomh maith.

84

Nach é díth gach scannail ligint don aos óg slad agus gadaíocht a dhéanamh ?

An tráthnóna céanna bhí réabadh reilige mar ba ghnáth ag na garsúin i measc na dtor. Nuair a tháinig an Bráthair Seán anuas i ndiaidh easpartha níor chuireadar aon tsuim ann thar mar chuireadar riamh. Lean Tarzan ag luascadh óna ghéag agus ag olagón. An tIndiach Rua a bhí ag éaló suas an chlais lean sé air ag lámhacán agus a ghunna aige á bhagairt roimhe go calaoiseach. Cúldúnmharú a bhí ar aigne aige, déarfá, agus cé b'fhearr chuige sin ná Tarlach ó Riain : an Tarlach go raibh cneastacht ina hócáid scannail aige. Lig an Bráthair Seán dá scamhóga líonadh. Lig sé dá mhuinéal at. Lig sé don fhuil a chneas a théamh. Scaoil sé lena ghuth.

' Scrios leat féin, a raispín ! Scrios !' Chuir géire a ghlóir féin ionadh air. Rud níos iontaí fós chuaigh an ghéire i bhfeidhm ar an Indiach mallaithe. D'athraigh a lí fána aghaidh fidil. Ní raibh ach chomh beag gíog ó Tarzan ná ón gcuid eile. Sa chiúnas mhothaigh an Bráthair Seán meisce a chumhachta ag éirí mar bheadh taoide rabharta ina inchinn. D'fhéadfadh sé é chosc ach go raibh deimhniú an Phriaire fhéin aige gur shuáilce riachtanach í ' Eagla an Tiarna.'

' Amach as seo libh ! Gach aon duine riamh agaibh ! Níl aon ghnó anseo agaibh, ach chun bheith ag . . . ag slad. Scrios !' Mar bheadh draíocht orthu tháinig suas le dosaon buachaillí amach sa tsolas agus d'imíodar leo go maolchluasach trasna an léana i dtreo an gheata. D'fhan muinéal an Bhráthar díreach agus é ag faire orthu, a cheann caite siar. Níor bhraith sé riamh chomh cumasach . . . .

Sa phroinnteach nuair éirigh glór an Phriaire go hard agus go gléineach stad an siosma i measc na mbord.

' Tá's agam nach duine chun géire teangan an Bráthair Seán ach nuair adeir sé gur mithid dúinn ' Eagla an Tiarna' a mhúineadh trí ' Eagla na Manach ' deir sé rud a bhí im cheann féin le fada ach ná féadainn é rá chomh gonta sin. Na daoine go bhfuilimid ag plé leo tá sean-taithí acu ar bhriseadh na seachtú aithne ach smaoinigh ar an easpa ómóis chreidimh atá iontu nuair nach eagal leo goid a dhéanamh i ngairdín mainistreach.'

' Na *Mowlees,* do ghoidfidís a bhfuil i nGairdín na bhFlaitheas.' An Bráthair Seán a labhair, ag cur isteach ar an bPriaire sar a raibh deireadh ráite aige. Ní raibh fhios ag an gComhthionól cad ba cheart dóibh a dhéan-amh ach seanshagart go raibh meigeal bán air thosnaigh sé ag gáirí.

' Há - há,' ar seisean, ' agus dúrais ná raibh aon ghéire sa Bhráthair Seán.'

Níor chríochnaigh an Priaire a ráiteas ach thuig na manaigh go raibh dualgas orthu an fearann a chosaint feasta. D'fhéadfadh Piarsánach teacht isteach an geata mór agus dul suas díreach go dtí an séipéal chun roinnt phaidreacha a rá ach dá gcuirfeadh sé cos leis den chasán caol cruaidh bheadh liú ag an mBráthair Seán air. Dá dtiocfadh gasra go dtí an geata faoi chamáin nó faoi chultacha buachaillí bó ruagfaí iad le béic bhagarthach. Más ea bhí a rian sin ar an bhfearann. Bhí an léana arís faoi bhrat d'fhéar glas cothrom mínbhearrtha. Bhí póir nua ag péacú sna ceapóga. Bhí na toir labhrais ag teacht

chucu féin i ndiaidh na foghla agus na crainn bláth ag
sceitheadh. Bheadh seó breá ann tar éis an tsaoil, amach
sa Bhealtaine nuair thiocfadh an tEaspag . . . .

An lá roimh lá an Easpaig bhí gach aon ní réidh rianta
ag an mBráthair Seán. Bhí an greim déanach bainte
aige leis an deimheas, an scrabhadh déanach tabhartha
aige leis an raicín. Bhí na blátha ina ceapóga níos áille
ná bhí aon bhliain eile ; bhíodar níos óige agus gan aon
rian feoite orthu. D'fhéadfadh an Bráthair Seán
saoire a thógaint agus thóg. Cárbh fhearr dó áit ar a
dtabharfadh sé aghaidh ná na Gairdíní i nGlas Naoidhean.

Deireadh Mí Bealtaine, an ghrian go hard agus an t-aer
éadrom. Deireadh Mí Bealtaine agus na crainn shíorghlasa
faoi bhláth, acraí ar bharr acraí de dhathanna áille agus
d'iliomad cumhrachtaí. Mhothaigh sé sruthlú aoibhnis
i ngach ball dá chorp. Dá mhéid a shiúil sé is ea is mó
d'fhéach an dúlíonach, is ea is iontaí bhí an t-amharc.
Chuaigh sé ó cheapóg go ceapóg ag iniúchadh agus ag
grinnscrúdú. Thóg a chosa ar fiarlóid é ó na casáin thar
ráillíní ísle isteach i measc na gcrann. Faoi scáth na ngéag
chiúnaigh a chuisle. Chuir sé a lámha ar bhun crainn
bhláth go ceanúil. Léigh sé fógra ' Ná bain leis seo,'
ach níor thug sé aon aird air. Nárbh eolaí é ? Nár thuig
sé crainn.' Bhí a aire ar chóras neamhchoitianta na ngéag,
ar an gcoirt éagsúil agus ar ioscaidí tiorma gas na mbláth.
D'fhásfadh an crann seo go dianmhaith os comhair na
mainistreach. Bhí sé cinnte den mhéid sin. Ach níor
mhór ceithre cinn, ceann ag fuinneog an pharlúis—ach
cad é an mhaith bheith ag caint, bheadh coróin an ceann
b'fhéidir ar na crainn óga agus an Priaire mar a bhí sé.

Fan go fóill ! Bhí gach dealramh ar an gcrann seo go bhfásfadh sé ó sciollóga. Ní raibh an mhí seo tráthúil ach dob inspéise é thriail. I bprap na súl bhí a mhéireanna neirbhíseacha in achrann i mbarr géige. Go fíorcheardúil sciol sé anuas fo-ghéigín. Nuair chonaic sé conas mar a bhí an sú ag rith ann bhí sé cinnte go bhfásfadh sé. Shín sé an géigín uaidh agus tháinig saghas náire air. D'fhéach sé ina thimpeall ar eagla éinne a bheith ag faire. Ní raibh. Sháith sé an géigín i mbrollach a róbaí.

Níorbh fhada in aon chor gur thosnaigh clog ag bualadh do am dúnadh. I gcoinne a chos thug an Bráthair Seán a aghaidh ar an ngeata. Ní bheadh caoi aige filleadh ar an bpárthas seo go ceann bliana nó, b'fhéidir, go deo. Ghabh buairt fileata é i dtreo gur fhág sé slán os ard ag mian a chroí. Ní raibh suim dá laghad aige sna daoine eile a bhí ag plódadh timpeall air i dtreo an gheata gur chuir fear éidithe lámh ar a ghualainn.

Bhí dealramh buartha ar an oifigeach seo. Bhí súile móra liatha ann. Súile oscailte macánta ach súile fuara, fuarshúile an Phrotastúnaigh dhírigh onóraigh.

'A Dhia na bhFeart más amhlaidh a chonaic sé mé ag cur na sciollóige chugam ?' Mar bhior dearg iarainn do dhóigh an smaoineamh trí inchinn an Bhráthar Bhoicht. Chonaic sé roimhe cruacheisteachán, príosún, cúirt. Do dhaorfaí é gan amhras. Nach é an Giúistís ó Deargáin a bheadh go sollúnta os a chionn :

'B'fhéidir go ndéarfadh an ciontach gur rud beag é sciollóg planda ach tá prionsabal tábhachtach i gceist sa chás. Bíonn na mílte cuairteoirí sna gairdíní seo gach lá agus má bhíonn cead ag aon duine acu sciollóg a bhreith leis beidh an cead céanna acu go léir. Dhá lá den obair sin agus bheadh na gairdíní ar fad bánaithe. Tá sé de dhualgas ormsa strus an phobail a chosaint agus mar sin daoraim . . . ' Sea, agus an liú áthais d'éireodh ó na *Mowlees* nuair a chloisfidís an bhreith. Bheadh sé náirithe go deo. Bheadh an tOrd náirithe. Bheadh an Eaglais Chaitliceach náirithe. Agus bhí na súile móra liatha, na súile fuara glasa ag stánadh air mar bheidís ag rá : ' Ní dheinimidne an sórt sin. Táimidne ionraic.' Le sean-taithí sceinn paidir os íseal as beola an Bhráthar : 'A Antoine Naofa tar dom chúnamh! A Ghiúid Bheann-aithe nach bhfuil aon tslí as ? '

Na daoine a cheap sé a bhí ag stop ag féachaint air bhíodar tar éis brú thairis. Agus bhí an fear éidithe ag breith ar uillinn ar chuid acu á dtreorú fó chlé go dtí geata eile a bhí gan aon phlúchadh ann. Ní raibh aon chuimhneamh aige éinne a chiontú. Bhí cead a chos ag an mBráthair Seán tar éis an tsaoil agus leis an lúcháir a bhí air d'imigh sé ar a bhairricíní amach an geata ar chlé.

Lá arna mhárach tháinig an tEaspag ach bhí Bráthair nua os cionn an ghairdín agus an Bráthair Seán le comh-airle a anamchara tar éis obair chistine a tharraingt air féin. Ní feictí a thuilleadh é sa bhfearann, ach tráthnóna anois agus arís sheasódh sé ag doras na cistine ag faire ar an aos óg ag súgradh. An chuid ab óige acu siúd ba ghearr an mhoill orthu dánaíocht a dhéanamh air agus fuaireadar amach gur mhanach réidh soghluaiste é. Fuaireadar amach leis go gcuirfeadh sé subh ar chanta aráin gan chol gan choinníoll. Bhí dúil aige, ámh, daoine a chur ag paidreoireacht agus níor dhearmad sé choíche iarraidh ar na ' haingil óga ' guidhe ar a shon.

Tá blianta fada imithe ó shin. Níl aon chrann Seap-
ánach os comhair parlúisna mainistreach. Níl sna gairdíní
ach creatlach na dtor. An té a chuir maise orthu tráth tá
sé ina luí ar an taobh thall den fhalla agus aire speisialta á
thabhairt ag an gComhthionól dá uaigh—an dara uaigh
sa reilig go bhfuil súil acu í bheith ina huaigh naoimh.

ATHAIR

—TÁ MAC liom i Sasana agus é ag caitheamh leathchéad toitíní sa ló.

—Is mór an méid é.

—Agus féach ! Ní bheidh sé naoi mbliana déag go dtí lár na Bealtaine seo chugainn.

—Ná beidh anois ?

—Seo an tríú bliain as baile aige.

—Ní raibh sé ach sé déag ?

—Sé déag go díreach mhuise nuair a chuaigh sé suas lár na hÉireann ar ghlaoch ó Bhord na Móna. Bhí trí mhíle fear ansiúd i gcampa le chéile, agus cad deirir, nár bhuaigh mo mhaicínse orthu uile ag crucadh agus ag iompáil !

—Ba mhaith an garsún é.

—Ní miste dhuit an méid sin a rá. Ansin chomhairlíos dó dul go Sasana. Tá a fhios agam go maith go bhfuil na mílte díomhaoin thall ach, mar adúrt lem mhaicín, ' An té a bhíonn umhal chun oibre, ní fágtar é gan post.' B'fhíor dom. Ní raibh sé ach díreach tar éis cos a chur ar an gcé thall nuair seo na conrathóirí timpeall air á bhaint dá chéile.

—An ndeireann tú liom é ?

—Deirim. Agus ina theannta sin, ní raibh sé ach coicíos ag an Anglo-Iran nuair thugadar ardú dhó.

—Tuilleadh páighe ?

—Sea, agus post faoi leith. Níor ghá dhó ach suí faoi inneall, sáfach luastair a chorraí anois agus arís, agus dhéanfadh sé sin an obair go léir dó.

—Post simplí.

—Sea, agus féach ná fuaireadar riamh cheana éinne a dhéanfadh é chomh maith lem mhac. An rud ab fhearr ná a chéile ansiúd, bhíodh sé ag obair istoíche agus isló. Ba chuma leis é. Bhíodh dúbailt pháighe ag dul dó as gach aon uair an chloig a dhéanadh sé tar éis an cúig tráthnóna.

—Is dócha gur shaothraigh sé mórán ?

—An chéad sheachtain a bhí sé thall, chuir sé chuga m deich bpuint.

—Nár bhreá an tosnú é !

—An dara seachtain chuir sé chugam deich bpuint.

—Togha mic.

—Sin í an fhírinne ghlan mhuise. Agus sin í an tógáil a fuair sé uaimse. N'fhacaís mac chomh aithriúil leis riamh id shaol.

—Is maith an scéal é.

—Agus an bhfuil a fhios agat, eadrainn féin, cé go mbeadh feidhm agam leis an airgead, b'fhearr liom go mór gan é ghlacadh uaidh.

—Huth !

—Bhuel scríobh mé chuige á rá leis gur chóra dó luach a chuid allais a choinneáil aige féin.

—Tá sé óg—

—Sin é díreach an focal adúirt mé leis : ' Tá tú óg
fós. Tosnaigh in am ar do chuid airgid a chur in eireaball
a chéile sa bhanc, coinnigh ansin duit féin é agus bead
buíoch díot.'

—Agus choinnigh.

—Is é adúirt sé go mbainfeadh an gobharmint amach
arís é chun é bheith acu féin.

—Na creachadóirí !

—Ba dheacair leat é chreidiúint ach ní baol aon lá
dearmaid a bheith ar mo mhac. Soir liom go dtí Biní
na postoifige. ' Dia is Muire dhuit,' arsa Biní. ' Dia is
Muire agus Pádraig dhuit,' arsa mise. ' An amhlaidh atá
gnó éigin agat díom ? ' arsa Biní. ' Tá,' arsa mise, ' an
méid seo,' ag insint dó conas mar a bhí. ' Ó,' arsa Biní,
' ná an diabhal baol anseo ort. Cuirfimid an tsuim sa
leabhairín taisce, agus in ionad aon ní a bheith á bhaint
as is amhlaidh a bheifear ag cur leis, do réir a dó go leith
fán gcéad.' ' Ná habair an dara focal, a Bhiní,' arsa mise.

—Chuir do mhac an t-airgead anall.

—Chuir.

—Rugais na deich bpuint go dtí Biní.

—Cúig puint, an tríú seachtain níor sheol sé chugam
ach cúig puint.

—An mar sin é?

—An tseachtain ina dhiaidh sin níor chuir sé ach aon
phunt amháin chugam.

—Ó !

—Ansin lig sé seachtain thairis.

—Gan scríobh ar aon chor ?

—Gan scéal ná duan a chur chugam.

—An tseachtain ina dhiaidh sin arís ?

—Níor scríobh.

—Taom tinnis a bhuail é, ní foláir.

—Ní raibh tinneas ná diachair air buíochas le Dia. Lig sé seachtain ar sheachtain, mí ar mhí, thairis, go raibh corradh agus bliain caite. Ansin, an lá is lú go raibh coinne léi, tháinig an litir.

—Agus airgead—

—Ní raibh. Is amhlaidh a d'iarr sé cúpla punt dá chuid féin a chur chuige.

—Agus chuireabhair.

—Cad chuige a gcoinneoimis a chuid féin uaidh ?

—Agus ar scríobh sé ina dhiaidh sin ?

—Scríobh. D'iarr sé cúig puint eile.

—In ospidéal a bhí sé nó—

—Mo thrua do cheann. An maicín seo agamsa, bhí sé chomh folláin le broc.

—Ar scríobh sé arís ?

—Is é a fhaid agus a ghiorracht gur lean sé air ag scríobh go raibh an t-airgead go léir curtha anonn agam chuige.

—É go léir ?

—É go léir ach scilling agus dhá thoistiún a bhí fágtha ag Biní na postoifige. B'shin é an fás nó an t-ús.

—Ar scríobh sé a thuilleadh ansin ?

—Scríobh, agus chuireas roinnt dem chuid féin chuige. Cé thógfadh orm é ? Nárbh é togha na mac riamh agam é ? Ní raibh de locht air ach go bhféadfadh sé oiread a ithe le beirt, agus oiread toitíní a chaitheamh le beirt. Dá raghadh sé san arm chaillfí den ocras é, sar a mbeadh

Korea sroichte aige dubh ná bán.

—Ba mheasa an t-arm ná na tithe lóistín féin.

—Ó ní raibh mo mhacsa ag fáil a sháith in aon teach lóistín dá raibh sé. Bhí sé dóthanach díobh. 'Ach ar do bhás, ná téigh san arm,' arsa mise leis, 'ní fhaca mé éinne ag tabhairt rud ar bith riamh as ach bligeardaíocht.'

—Bhíothas ina dhiaidh is dócha.

—Bhíothas. Fuair sé rabhadh go gcuirfí as an obair é agus ansin go gcaithfeadh sé dul san arm.

—Ach níor chaith ?

—Fág fám mhac é, a bhuachaill. Bheadh seift éigin aige dá mb'é an diabhal féin a bheadh ag baint na bearnan dó.

—Ba dheacair dul ón arm.

—Cad a dhéanfadh sé, a dhuine, ach pósadh !

—Pósadh ?

—Díreach glan.

—Agus ansin d'fhéad sé fanúint san obair ?

—Féach féin nár fhan.

—Bhí de shásamh aige imeacht as an lóistín más ea.

—D'fhan sé sa lóistín.

—Ní hamhlaidh a phós sé an bhantiarna ?

—Sin é díreach a rinne sé. Nár dhiabhail an plean aige é ?

—Is ionadh liom ná loirgíonn sé obair.

—Do stopfaí an *dole* air, a dhuine. Bíonn cheithre puint sa tseachtain aige gan a lámha a bhaint as a phócaí, agus an bhean ag déanamh a cuid féin ar lóistéirí as Éirinn.

—Bíonn sé ag cabhrú léi—

—Ní bhíonn mhuise. Déanann sí an gnó í féin go dianmhaith.

—Agus cad a bhíonn á dhéanamh gach aon lá aige ?

—Ná dúrt leat go gcaitheann sé leathchéad *fags* !

AN PHIAST

AN CHÉAD LÁ a d'aistríos go uimhir a fiche a
cúig Ascal uí Mhuirthile fuaireas amach go raibh
Frainc Mac Aindriais mar chomharsa béal dorais
agam. Bhíos agus Frainc le blianta san oifig chéanna.
Duine beag lom ligthe ab ea é agus é an-chiúin ann féin.
Bhí sé dea-mhúinte ómósach le gach éinne. Ní raibh aon
comharthaí tine le haithint sa chroiméal tanaí fionn a bhí
air ná san aghaidh bheag mhílítheach. Geallaim duit go
dtáinig ionadh orm nuair a chonac an bhean. Ní hamháin
go raibh sí mór ach bhí sí córach teannláidir. Bhí déad
breá fiacal aici, aghaidh leathan, agus cneas luisneach dea-
shláinteach. Bhí, chomh maith, teanga chun comhrá
aici, éirim ghéar agus gáire croíúil cuileachtanais. Ba
dhóigh liom gurbh fhiú í fear ab éifeachtaí ná Frainc a
bheith aici, ach dúirt daoine ab fhearr aithne orthu nárbh
amhlaidh a bhí, gur scoth chéile Frainc. Ag am scoir san
oifig ní dhearna sé aon mhoill ach brostú leis abhaile.
Bhíodh deisiú nó déanamh éigin ar siúl i gcónaí aige.
Bhí de cháil air go raibh bua sna lámha aige. Aon cheard
a tharraingeodh sé air bhí sí aige agus san am céanna
níor scorn leis gnó mná tí a dhéanamh nuair ba ghá.
Bhíodh a ainm á lua d'fheara eile san Ascal agus mná ag

97

caoineadh gur thaobhaíodar ina n-óige le brúideanna gan tuiscint.

An chéad tráthnóna a bhíos sa teach nua agus mé gan citeal gan fearaistí fuaireas cuireadh chun tae ón bhean chroíbhrothallach. Is dócha go raibh trua aici dhom i dtaobh mé bheith singil agus gur theastaigh uaithi buntáistí an bheatha phósta a chur ar mo shúile dom. Go deimhin caithfead admháil go raibh ag éirí léi, mar lena hanamúlacht féin, lena neart, agus lena háilleacht, d'ardaigh sí mo chroí. Bhí ionadh orm cá raibh Frainc go dtáinig sé isteach chugainn á rá go raibh an tae ullamh. Ní raibh aon chóta air agus bhí a lámha caolsreangacha nocht go dtí na huilleanna. Bhí tae breá againn ach thugas faoi deara ná raibh ach corrghreim ag Frainc á thógaint agus go raibh sé ag éirí dá shuíochán ag freastal orainn. Thug an bhean faoi deara mé ag faire air agus d'iompaigh sí orm ag míniú an scéil :

' Bhíos amuigh ar feadh an tráthnóna, agus ó táim ag dul amach arís ag imirt bheiriste níorbh fhiú dhom mo chuid éadaigh a athrú agus thairg Frainc an béile ullmhú.'

Dúrt dar ndóigh gur thuisceanach an fear é agus tar éis an tsaoil ná raibh ceart ag gach aon bhean chun saoire díreach mar bhí ag an bhfear agus gur chóir don rialtas dlí a dhéanamh cead dul amach a bheith ag an bhean oiread sin tráthnóntaí sa tseachtain. Bhíos chun gáire a dhéanamh faoi chlisteacht mo chuid cainte féin ach ní tháinig aon chomhartha gáirí ar an mbeirt eile. Chuaigh an chlisteacht amú orthu. Cárbh ionadh liom Frainc ach í féin a bhí chomh haibidh. Bhí sos anshocair ann ar feadh neomait. Ar ámharaí an tsaoil bhéic an leanbh amuigh. Níor chorraigh an mháthair ach léim Frainc as a chorp agus rith amach. Lean an bheirt againne ag caint go doimhin-nósach ar bheiriste agus ar na húdair a mhíníonn é.

Bhí ár sáith ite againn agus sinn tar éis toitín go leith a chaitheamh nuair tháinig Frainc go dtí an doras arís. Bhí aprún anairte an turas seo air agus beirt pháiste iníon ina dhiaidh aniar. Bhí an leanbh ar a ghualainn aige béal faoi. Pantar mór ramhar ab ea é agus mhínigh an bhean ar mhaithe liomsa go raibh nós aige an iomad bainne ól agus go raibh a athair anois ag cabhrú leis chun gaoithe chur de. Bhí súile Frainc chomh hoscailte le súile bó agus é ag éisteacht léi. D'iompaigh sé timpeall chuici go mórálach. Thug sise gigil beag fán smigín don leanbh agus dúirt go raibh a chodladh ag teacht air. Nuair bhíodar imithe arís chuas féin agus í féin isteach níos doimhne ná riamh i scéal an bheiriste . . . .

Níl fhios agam cad é an fhaid a bhíos sa leaba an oíche sin nuair dúisíodh mé le torann sceoin. Bhí an doras thíos á phleancadh go héachtach. Tháinig an briogáid múchta tine im cheann, Éirí Amach na Cásca, agus mórán eile nach iad. Tháinig bean Frainc im cheann. Léimeas go fuinneoig. Is í bhí ann agus í ar mire ag bualadh an dorais thíos le baic a scáth fearthainne. Mar go raibh an oíche ciúin cloisfí i gcéin ó bhaile í.

' Haidhe ! Éirigh ! Éirigh suas ! Haidhe ! '

' Cad tá bun os cionn ? ' arsa mise.

' Ó ! ' a scread sí orm, ' brostaigh ! Brostaigh ! N'fheadar cad tá imithe ar Frainc. Níor oscail sé an doras dom. Ba chuma liom ach na páistí. Cad a dhéanfaidh

mé in aon chor, in aon chor ? ' Tharraingíos orm mo
bhríste, slipéidí agus casóg mhór. Thugas stracshúil ar
chúl an tí féachaint an mbeadh solas ann. Ní raibh. Síos
liom agus sólás á bheartú agam don bhean.

' B'fhéidir go bhfuil sé imithe ar theachtaireacht éigin
obann agus go mbeidh sé ar ais i gceann neomait.' Ach
croith an bhean a ceann chomh maith lena rá : ' Cad é
an teachtaireacht a fhéadfadh bheith aige siúd ? ' Ansin
tháinig cuma an ghoil ar a béal agus rinne sí faoistin dom
i nglór lag, truánta.

' An croí aige, ní raibh sé ar fónamh. Bhí fhios agam
go dtarlódh sé. Dá mbeinn sa bhaile ! Mo Frainc bocht !
Thug an dochtúir comhairle dhó gan aon dua a chur air
féin. Ach ní fhéadfadh sé fanúint socair. An fear bocht ! '
Dhruid sí isteach liom agus sar ar bhuaigh an gol ar fad
uirthi d'éirigh léi cogar croíbhriste a chur im chluais.
' Tanaíocht san fhuil, b'shin é bhí air.'

Bhí fhios agam gur cheart dom rud éigin a dhéanamh.
Thriaileas an fhuinneog a oscailt ach bhí sí chomh
daingean le doras bainc. D'iompaíos chun bean an ghoil.

' Caithfead an doras a bhriseadh isteach,' arsa mise,
' ach ní mór dom tua nó piocóid nó— ' Thug sí lámh
dom am chur as an slí. Do shearr sí í féin, agus thug
rúid fán doras. Bhuail sí pleanc dá cliathán air
a rinne fuaim mar dhéanfadh tionóisc bhóthair.
D'oscail an doras isteach agus d'imigh coimeádaí an
ghlais agus na scrobhanna ag rince ar an íléadach.

' Anois thú ! ' ar sise liom agus í ag at le móráil. Mise
bhí ag cuimhneamh ar ghol anois. Mhothaíos an-bheag
ionam féin. Bhí sí mar bheadh sí ag feitheamh le focal

molta ach rinneas amach ná raibh an ócáid oiriúnach chuige sin.

' Cé acu seomra ina mbeadh sé ? ' arsa mise ag féachaint timpeall orm.

' Fan go bhfeicfead an bhfuil na páistí slán ar dtúis.' In airde staighre léi. Leath slí suas stad sí.

' Tá eagla ag teacht orm, an dtiocfaidh tú in éineacht liom ? ' Leanas í. Sa chéad seomra bhí an bheirt ghearr-chaile ina gcodladh go sámh. Thug sí sciuird ar dhoras a seomra féin. Agus a lámh ar an gcnapán theip an anáil uirthi. Bhí an dath ag tréigint a cneas.

Bhíos féin creathánach go leor ach d'osclaíos an doras di. Geallaim duit go raibh áthas orm ná raibh éinní bun os cionn istigh. Bhí an pantar ramhar de pháiste sa chliabhán caolaigh agus chuaigh suaimhneas a chodladh tríom chroí. An dílleachta bocht ! Ghlaos uirthi féin. Thug sí sciuird isteach agus chrom os cionn a mic.

' Moladh le Dia, tá an leanbh slán ' ar sise agus thóg sí amach as na héadaí buidéal leathlán agus chuir as an slí é. Chuardaíomar na seomraí eile thíos agus thuas. Bhí gach árthach sa chistin ina ionad ceart féin ar an seilp. Bhí urlár na cistine tais mar bheadh sé nuanite. Ach cá raibh Frainc ? Thosnaigh smaoineamh ag rith tríom cheann go mb'fhéidir nach é an croí bhí tar éis teip air in aon chor ach go raibh sé imithe, a shaoirse bainte amach aige, nó mar adeir lucht an Bhéarla, ' go raibh an phiast tar éis casadh.' Tháinig an rud céanna i gceann na mná mar do stad an brón agus thosnaigh sí ag cuardach ar an matal, ar an driosúr agus sna dráranna mar bheadh súil aice go mbuail-feadh litir léi. D'imigh an trua go léir a bhí agam di agus thosnaíos ag guidhe go mbuafadh Frainc ar an dlí, go mbainfeadh sé amach tír iasachta éigin sa Domhan Thoir nó sa Domhan Thiar agus ná feicfí riamh é á stracadh abhaile ar urla cinn.

Shuíomar beirt ar dhá thaobh an bhoird mar dhéanfadh aireacht stáit nó coiste idirnáisiúnta. Rinneamar an scéal a chíoradh go mion ó thosach deireadh ach ní thángamar ar aon bhreis eolais. Bhí Frainc imithe mar shloigfeadh an talamh é gan aon rian, gan aon chomhartha a neosfadh dúinn cé an treo ar ghaibh sé. Ba í an chomhairle ar chinneamar go dtabharfainnse scéala go dtí na Gardaí agus go dtiocfadh Bean uí Mhórdha isteach mar chuid-eachta faid a bheinnse amuigh. Dob fhurasta Bean uí Mhórdha a thabhairt chun dorais óir bhí sí dúisithe cheana féin ag faire. Tháinig fuadar an domhain uirthi nuair thuig sí éirim an scéil. Rinne sí comhbhrón leis an mbean tréigthe go fíorealaíonta ach go raibh breis bheag fhuinnimh lena caint. Go deimhin sarar chríochnaigh sí is mó d'fhearg ná de bhrón a bhí le braith uirthi. Dúirt sí nárbh iontaoibh aon fhear, go háirithe fear pósta. Dúirt sí gur minic a bhíonn ciúin ciontach, gurb iad na muca ciúine itheann an mhin, agus nár imíodh uainn ach an drochmhargadh.

Bhíos féin ag cur gaoithe im rothar agus mé ag féach-aint síos agus suas go bhfeicfinn Garda ag teacht a shaor-adh ón aistear mé. Tháinig an nua-bhaintreach amach chugam agus iarracht de cheann faoi uirthi i ndiaidh cainte na mná eile. Labhair sí an-íseal.

'Dún Laoire, an bád, abair leo . . . ach ní bheadh an misneach sin aige. Féach, ar do shlí gaibh timpeall go stad an bhus. Ar eagla na heagla gur ansin a bheadh sé ag feitheamh liomsa. Tháinig mé abhaile anocht i ngluaisteán. Fuaireas tiomáint ó chéile mo dheirféar agus —Frainc—is gnáth leis feitheamh liom ag stad an bhus. An raghfá chuige agus a rá leis teacht abhaile go tapaidh.'

Bhí Frainc dar ndóigh ina sheiceadúir, a ghuala táite de chuaille stad an bhus. Bhí an bus deireannach gafa suas fadó ach dála Casabianca ní thréigfeadh sé a phost. Nuair ghlaos abhaile air thug an bhean faoi i dtaobh í ghlasáil amuigh. Dúirt sí an chéad uair eile tharlódh a leithéid go mbaileodh sí léi ar fad. Mar bhuille scoir d'ordaigh sí dhó coimeádaí an ghlais a chur suas arís i gcomhair na hoíche. Faid bhí sé á dhéanamh sin bhí sí féin ag gabháil buíochais liomsa ag an ngeata. Dúirt sí go raibh aiféala uirthi ar shlí ná raibh Frainc imithe mar go mbeadh seans aici fear mórchroíoch mar mé féin a fháil ina ionad.

Bhí an scrobh deireannach tiomáinte ag Frainc. Dúirt sí leis an doras a dhúnadh agus seasamh as an slí go dtriailfeadh sí é. Thug sí rúid mar thug an chéad uair agus thiomáin an doras isteach roimpi gan dua. D'fhéach sí an-mhórálach aisti féin agus d'fhiafraigh sí de Frainc go sotalach an gcoiscfeadh an saghas sin daingniú gadaithe Bhleá Cliath. Níor thug seisean aon fhreagra ach phioc suas na scrobhanna go humhal agus rinne athdhaingniú.

An mhaidin dár gcionn dúisíodh arís mé le torann fíochmhar ag mo dhoras féin. An bhean chéanna a bhí ann agus í ag lorg Frainc. An turas seo ní raibh aon amhras sa scéal. Bhí nóta i scríbhneoireacht Frainc idir a méaranna agus í ag gol os a chionn.

PEDRO

RAGHADH Eibhlín Máire go dtí an rince. Cead ag na cailíní eile bheith ag magadh leo. Bheadh sí croíúil oscailte ag an rince. Cumá ná beadh ? Ná raibh dualgas ar lucht an Ghníomhú Aspalda a soiscéal a leathadh ins gach cearn ? Cá háit ab oiriúnaí don ghnó ná lár cruinnithe na n-óg ? Cá duine ba dhealraithí chuige ná í féin ? Óir bhí gruaig fhionnbhán uirthi a bhí níba thibhe, níba dhualaí ná gruaig aon chailín eile acu. Bhí luisne ina cneas gléigeal nár éiligh cailc, fabhraí uirthi nár dhlígh aon staitheadh, agus súile móra iontacha. Cimil bheag de bhreasal bándhearg, ba leor é do chumthacht a béil. I dtaobh a sróine bhí sí ceart go leor. B'fhéidir go raibh an smuilc buille beag leathan ach bhí sí díreach. Sin é an príomhrud i dtaobh sróine, í bheith díreach. Bhí a hucht i gceart ach an chabhail beagán róthéagartha ; agus na cosa an beagáinín céanna róghairid. Toil Dé . . . pé scéal é. Ní fiú trácht ar an méid sin ó tháinig faid sna gúnaí.

Dar ndóigh ní raibh céimeanna na rincí nua aici— duine a bhíonn ag déanamh saothair aspalda ní bhíonn am aici do gach saghas rince. Tráth bhíodh sí ar thrí céilithe gach aon tseachtain ach anois ní raibh uain aici ach do chéilí bliantúil na Craoibhe. Bhí an seanwaltz aici óna halla féin ag baile. Dhéanfadh sí an gnó. Rinne sí cheana é. Níor chóir aon cheann a thógaint de chaint na gcailíní. Ní rabhdar ach ag meilt na haimsire go dtosnódh rudaí. Cailíní maithe iad ina gcroí istigh. Bheidís uile ag déanamh saothair aspalda fós agus ag spreagadh cúis na Gaeilge ; le cúnamh Dé, le cúnamh Dé.

' Ó a Eibhlín Máire seachain tú féin anocht má thagann na mairnéalaigh Spáinneacha.'

' Ó tá súil agam go dtiocfaid. Níl éinní is measa ag rince ná easpa fear.'

' A Eibhlín Máire, a Eibhlín Máire raghaidh siad ar buile i ndiaidh do chúilín bánsa.'

' Ó a Eibhlín Máire seachain tú féin.'

' A Eibhlín Máire seachain tú féin ar na mic tíre.'

' Má iarrann duine acu amach tú is róbhaol duit.'

' Ó ní raghainnse amach le haon Spáinneach. Bhí aithne agam ar chailín a fuair scanradh ó dhuine acu. Tharraing sé scian.'

' Mura mbeadh í a scréachadh chomh hard dhúnmharódh sé í.'

' Tá na Spáinnigh go léir maraitheach.'

' Is mar a chéile na Spáinnigh agus fir Mhexicó, nach ea a Eibhlín Máire ?'

' Seo chugainn iad, *si* ! '

' *Si*, tá an cablach istigh.'

Mar dob árthach tréineála an long chogaidh Spáinneach a bhí sa chuan, buachaillí fá bhun fiche bliain d'aois is mó a bhí uirthi. An méid díobh a tháinig go dtí an rince

seo bhíodar buille beag cúthail. Ach ba léir grástúlacht
ina siúl agus ina n-iompar. Bhí a n-éide ar nós gach
mairnéalaigh eile agus ainm na loinge i litreacha óir ar
gach caipín : *Juan Sebastian de Alcano.* Chuala Eibhlín
Máire trácht ar Shan Sebastian agus ar Shebastian eile
a bhí mar chladhaire san úrscéal, *Go mBeannaítear Duit.*
Dar léi dob ón naomh gan dabht a hainmníodh an long.
Ba bhreá bheith ag treabhadh na dtonn fá bhrat Caitlic-
each agus ainm naoimh ar do chaipín ! Ag leathadh
Ríocht Dé sna críocha in imigéin ! Do théigh a croí
chun na Spáinneach óg go raibh a n-aighthe fós gan
iarsma de ghairbhe an tsaoil.

Paul Jones ! Ceol !

Bhí eiteallach croí ar gach éinne ; ach do raghadh sí
amach. Cumá ná raghadh ? A cosa ! Murach an greim
láimhe a bhí uirthi ar gach taobh thitfeadh sí. Timpeall
leo, timpeall, agus timpeall. Bhí ciarsúirí gualann na
mairnéalach ins gach aon bhall. Uaireanta shamhlaíodh
sí an t-urlár a bheith os a cionn in airde, na soilse fúithi
thíos. Uaireanta thugadh sí cor glúine di féin ; uaireanta
eile mhothaigh sí a corp chomh héadrom agus dá mbeadh
sí san aer ag snámh.

Stad an ceol. Réitigh na cailíní ar gach taobh di na
lámha uaithi de dhithneas. Faid a bhí sí ansin ag fáil
boinn bhí ag déanamh ina treo ciarsúir mhór ciumhais-
ghorm. Bhí sé ag teacht trí cheo mar bhí na fallaí fós
ag gabháil timpeall cé gur chóir dóibh stad. Sa deireadh
chruinnigh sí a haire ar aghaidh an duine agus go deimhin
níor shaothar in aisce é. Aghaidh dhonnbhuí gan roc ná

fáithim ; pluic chruinne, déid gheala, súile nádúrtha neamhghortaitheacha ; folt gairid slíoctha ná raibh ró-dhubh. Ach thar gach ní chonaic sí muinéal téagartha fir—fear a sháródh gaoth nó a chloífeadh tarbh. Ní raibh an ceart ag daoine adúirt gur fir bheaga iad na Spáinnigh. Óir bhí an duine seo ard. Agus ní raibh a shúile mar bheadh dhá pholl dóite i mblaincéad. Bhíodar donn, gan bheith ródhonn. Agus ní raibh a chneas bealaithe.

An té ná faca Spáinnigh ag rince ní heol dó grástúlacht. Ní bheadh coinne agat go mbeadh taithí acu ar an sean-waltz mar a bhíonn ag na leads sa halla ag baile, ach bhí an fear seo i bhfad níos fearr chuige ná éinne chonaic sí riamh. Thóg sé timpeall í chomh líofa rithimiúil gur shamhlaigh sí go raibh an meáchan tráite as a colainn. Bhí a cosa, casúir an druma agus eisean ag déanamh ' aon, dó, trí ' in éineacht díreach mar dob é an inchinn chéanna a bheadh á n-oibriú uile. Dá mba duine román-súil í déarfadh sí go raibh a cuisle féin i dtiúin le cuisle an mhairnéalaigh. Ach ní bhíonn éifeacht i gcaint den tsórt sin. I gcónaí ámh leanann dea-thoradh an gníomh fónta carthanachta. Cá bhfuil carthanacht is fearr ná cuideachtanas a dhéanamh leis an té atá uaigneach in áit choimhthíoch ? Agus gan dabht b'é an t-uaigneas a chuir an mhaille agus an bhoige i súile an pháirtnéara. An t-uaigneas—bhí dualgas uirthi é mhaolú. Nuair a stad an ceol ghaibh sí a buíochas go neamhbhalbh : ' Go raibh míle míle maith agat a dhuine uasail.' Ach is amhlaidh a chroith an buachaill a cheann go cúthail, á chur in iúl nár thuig sé. Ansin tháinig trua aici dhó agus fearg uirthi léi féin i dtaobh é chur chomh mór trí chéile.

Rug sí ar a bhois ina dá láimh agus d'fháisc é go buíoch. Mhéadaigh ar an trí chéile ag mo dhuine, ach thug sise féachaint oscailte air ionann agus a rá :

'Ná bíodh eagla ort ! Is cailín *maith* mise.' Thaitn an fhéachaint sin go seoigh leis. D'umhlaigh sé go híseal, ar nós Spáinneach gan dabht, agus dúirt an t-aon fhocal amháin, ' Ainm ? '

'Go hiontach, go hiontach ! ' ar sise agus sceitimíní uirthi, ' m'ainm, Eibhlín Máire, Eibhlín Máire ; do ainm ? '

'Peadar,' ar seisean, agus ní raibh an fhoghraíocht go holc in aon chor.

'Peadar ! ainm an chéad Phápa ; ó, nach iontach é ! Cad a thugann sibhse air ? Pedro nach ea ? ' Sméid sé ag aontú léi.

Pedro ! Ba leor sin mar charthanacht go fóill. Thug sí an fhéachaint oscailte úd arís air agus d'umhlaigh seisean thar n-ais. Ansin shuigh sí mar a raibh a mála. Is é an smaoineamh a tháinig chuici go mbeadh ábhar thar na bearta aici don chéad chruinniú eile Craoibhe, ' . . . eachtrannaigh ag buachtaint ar Ghaeil i bhfoghlaim na teangan—fear ná raibh sa tír cúig uaire an chloig agus a ainm i nGaeilge aige, agus fonn air focail Ghaeilge a phiocadh suas. Féach nach Béarla a bhí uaidh . . . dá bhfaigheadh sé an chaoi, ba ghearr go mbeadh sé chomh maith leis na fir ón nGearmáin agus ón Eilbhéis . . . . '

Ní raibh an óráid ullamh ar fad aici nuair a glaodh an chéad rince eile agus b'sheo anall chuici a nua-chara, truslóga rábacha á chaitheamh aige gan aon phioc de shuathadh an mhairnéalaigh ann. Bheadh fáilte ag éinne roimh a theacht.

'Rince Eibhlín?' ar seisean agus aoibh chúthail air.

'Go hiontach a Phedro—tá tú ag teacht chun cinn.'

Ach cár phioc sé suas an Ghaeilge go léir? An raibh sí aige ag teacht dó? Ar Phroinsiasach ó Éirinn a mhúin é i gColáiste Shalamanca? Nó ar de shliocht Gaelach é? De shliocht na n-uasal d'imigh anonn i dteannta Aoidh Ruaidh?

'A Phedro, a Phedro,' ar sise go caoin, 'cá bhfuair tú an Ghaeilge?' Ach ní dhearna sé ach a cheann a chrothadh agus déad glégeal aoibhinn a nochtadh don tsaol. Bhí sí ullamh a hanam a imirt ar a shon . . . .

Ar a hanam a bhí sí ag cuimhneamh leis ar a slí abhaile dóibh an oíche sin. Bíonn ar dhaoine uaireanta a n-anam, chomh maith lena gcliú, a chur sa bhfiontar i gcogadh seo na maitheasa. Mar sin ní tháinig laige ar a hiarrachtaí.

'Bóthar, a Phedro, bóthar.'

'Bóthar, a Eibhlín.'

'Lampa.'

'Lampa Eibhlín.'

'Ó tá tú ag piocadh suas go tiubh a Phedro. Ach seo é mo theach agus ní rabhas riamh amuigh chomh déanach seo. Ní haon aiféala atá orm a Phedro, ní hea, ach—' Tháinig trua an domhain aici dhó. Óganách óg álainn gan chaime, agus é bodhar balbh i dtír iasachta! Chas sí a dá láimh ar a mhuinéal, tharraing chuici agus do phóg sa bhéal é. Póg dhlúth a bhí saor ó fhéineachas agus mar sin saor ó pheaca. Póg ghairid; is maith an comhartha ar phóg í bheith gairid. Ach ar eagla ná tuigfeadh Pedro í dhruid sí uaidh é agus d'fhéach air le

meallta a súl. B'é an donas go mb'fhéidir nár thuig sé
an ní oir di a chur ina luí air—' cailín fónta mise, bíodh
lániontaoibh agat asam, níl ionam ach searbhóntaí na
maitheasa.' Thabharfadh sí a croí ar bheith in ann an
méid sin a chur in iúl go cruinn beacht . . . .

'May I speak English for one moment ; when do I
see you again ? '

'Béarla ! Bhuel níor shíleas riamh go mbeinn chomh
buíoch seo den Bhéarla ! Ach a Phedro féadfaidh tú mé
fheiscint istoíche amárach dar ndóigh, ach conas a tharla
Béarla mar sin agat, chomh tapaidh ? '

'Why the hell wouldn't I ? '

'Ach níl Béarla sa Spáinn an bhfuil ? '

'Naw ! Born and reared in Drimnagh.'

'Agus chuais don Spáinn—' Bhí scamall ag teacht
ar a haigne i dtreo ná féadfadh sí abairt chiallmhar a
chríochnú.

'Goodness sake, a Eibhlín, féach,' agus thaispeáin sé
an caipín di. Ní *Juan Sebastian* i litreacha óir a bhí ann
ach *Maritime Inscription* i snáth geal. Thit an croí ar fad
aici. Do dhorchaigh a haigne i dtreo nár fhan ach
cuimhne amháin aici. Bhí sí arís ag fágaint an halla ar
láimh an Spáinnigh rábaigh ghrástúil ; gaethe géara ag
teacht faoi dhallóga súl na gcailíní. B'shin bua dise agus
bua don tsaothar aspalda. Ach anois bhí gach ní bun os
cionn ! Mar sin a bhuaileann an tubaist teachtairí Dé.
Ba chuma léi ina taobh féin, ach an fhonóid a déanfaí
faoin nGníomhú Aspalda agus faoin nGaeilge.

'An ndéanann sé an oiread sin difríochta nach *dago*
mé ? ' arsa Pedro i mBéarla agus é ag éirí beagáinín

teasaí. D'fhéach sí ar shnaidhm an chiarsúra a bhí i lár a uchta—a ucht dea-chumtha. Ansin ghlan a haigne beagán agus chonaic sí go raibh slí as fós don Chreideamh agus don Ghaeilge.

' Tá áthas an domhain orm gur tú Peadar. Maith dhom é má thaispeánas díomá.'

' Peadar ó Dubhghaill.'

' Peadar ó Dubhghaill, Droimneach, is é toil Dé é,' ar sise. Faoi sholas an lampa tháinig áilleacht ina súile agus ina haghaidh a mheallfadh ógánach cloiche.

' Istoíche amárach ? An mbeidh tú ann ? ' ar seisean de chogar.

' Beidh mé,' ar sise, agus bhí a glór chomh bog le siúl an chait, ' má thagann tú ar rang craoibhe liom.'

III

H

AN GRÁ GÉAR

DÉ hAOINE ! arsa Nábla.
—Dé hAoine ! arsa Lil, agus briseann siad
araon ar gháirí.
—Tuige nach oíche Dé Máirt adúirt tú ? arsa Nábla.
—Déarfainnse oíche amárach, arsa Lil.
—Is maith an rud nár dhiúltaigh tú arís é, pé ar bith.
—Bheadh t'anam againn.
—Bheadh t'anam againn cinnte.
—Is beag idir diúltú agus é chur siar sé lá.
—Is beag fear a fhulaingeodh é.
—Comhartha maith air é go bhfuil sé dáiríre.
—Ó nach méanar duit a Chaitlín . . . .

. . . A Chaitlín !—Bhí Eoghan ag caint léi anois. Bhí
sé ag míniú cuid den phictiúir di. Ní raibh suim aici
sa phictiúir. Bhí sí ag cuimhneamh ar a beirt comrádaí
árasáin. Cad déarfadh sí leo ? Bheidís suite suas ar na
leapacha ag feitheamh léi. Ní bhíonn dátaí choíche acu
oíche Aoine. Níonn siad a ngruaig. Bheadh tuáillí
acu timpeall ar a gceann agus iad sa leaba suite suas ag
feitheamh léi . . . .

... A Chaitlín, féach—Eoghan ag caint arís ...
Níorbh olc in aon chor iad mar bheirt. Iasacht stocaí
go fial tar éis a cuid féin a bheith stractha ag an rothar.
Breá gur Dé hAoine a thiteadh sí. A glún chlé gearrtha.
An stoca ag ceangal di. D'fhág sí slán ag an oifig an
tráthnóna sin díreach amhail is dá mbeadh sí ag dul ar
saoire bhliana. Léim sí ar an rothar agus ní raibh sí ach á
socrú féin ar an diallait nuair, plup! Bhuail an teachtaire
siopa í. Ní raibh sé ag féachaint roimhe agus tháinig sé
i ndiaidh a cúil uirthi. Cárbh ionadh dá mba ag aisling
ar an dáta a bhí sí féin? Dar ndóigh níorbh ea. Murach
Nábla agus Lil ní ghlacfadh sí choíche leis.

Níl smid as Eoghan anois. Cé go bhfuil an phictiúrlann
dorcha tá eagla uirthi a ceann a iompó ina threo an rud
is lú. Buachaill macánta Eoghan. Dá mbeadh na cailíní
eile i láthair bhainfeadh sí taitneamh as a chomhluadar.
Ach an bheirt acu leo féin ní bhraitheann sí compordach.
Ní thoileoidh sí chun dáta go brách arís. Maróidh na
cailíní í. Plup! Ní rothar eile é seo ach urchar á scaoil-
eadh ar an scannán. Bithiúnach éigin ag blaiseadh na cré
ach is cuma le Caitlín. Nár uirthi bhí an t-ádh gur fhéad
sí rothaíocht abhaile tráthnóna. Agus nár briseadh uirthi
ach dhá spóca tosaigh. Dá gcloisfeadh Mam faoin scéal.
Bhíodh Mam i gcónaí ag foláireamh uirthi bheith air-
each. Mam bhocht!

Dá bhfeicfeadh Mam í ag teacht den bhus tráthnóna.
Fáinní cluaise Nábla uirthi. Breasal curtha ar a beol ag
Lil. A malaí déanta suas. An chuma go raibh a croí lán
de náire ina taobh féin. Í ag guidhe os íseal ná
beadh Eoghan ann. Ach bhí, agus draid uafásach air.

Freagra gnaíúil níor thug sí don bhfáilte a chuir sé roimpi. An raghadh sí go dtí an Capitol ? Cé an fáth ná raghadh ? Aon áit ach gan bheith faoi shúile na ndaoine. Thairg sé a uille di, ach ní fhéadfadh sí lámh a chur inti. Chun gan bheith bústúil ar fad rinne sí miongháire agus thaispeáin a fiacla. Thug sé aghaidh ar an Chapitol. Bhí air a shlí a dhéanamh trí an-phlúchadh daoine ar an gcasán. Bhí uirthise é leanúint. Dá bhfeicfeadh Mam í ! Daoine á nguailleáil aige deas agus clé, agus ise ina maidrín lena shála. Chuaigh sé chun cainte le feidhmeannach. Bhí scuainí fada ann adúirt sé. Bheadh orthu seasamh uair go leith. Ní sheasódh Eoghan neomat. Ar ór na cruinne ní sheasódh sé i gciú . Shiúl sé roimpi arís. É ina threoraí, ina impire, ina ghandal ard scrogallach.

An Cosmo, ní raibh scuaine ar bith ansin. Aththaispeáint phictiúra chogaidh. Bhí sé feicthe ag Caitlín cheana ach ní ligfeadh sí faic uirthi. B'fhearr léi bheith ina suí istigh. Bhí a cosa ag lúbadh fúithi. Nuair nár chuir sí suim sa tseanphictiúir cheap Eoghan gurbh amhlaidh nár thuig sí cad a bhí ar siúl. Thosnaigh sé ag míniú di. Níor lean sí an míniú agus thug sé suas. Is dócha gur cheap sé go raibh sí dúr ó bhonn. Níorbh fhearr léi riamh é ach go bhfágfadh sé ina dhiaidh í. Dá bhfágfadh ní fhéadfadh na cailíní pioc a rá léi. Bheadh áthas ar Mham. Cinnte bheadh áthas ar Mham dá gcloisfeadh sí gur fhág fear Caitlín san abar. Áthas a bhí uirthi fadó nuair a tharla an ní céanna do Nóra.

Bhí easpa mheabhrach ar Nóra riamh. Agus í ina gearrchaile sa bhaile bhíodh sí isteach agus amach ón sráid gach lá sa tseachtain. Gan de leithscéal aici ach go raibh sí ag dul ag deisiú a bróg. Dáiríre is ag súil le Neid a fheiscint a bhíodh sí. Agus nuair lig Neid síos í dúirt Mam gur mhaith an rud sin. Ach bhí Nóra neameabhrach. An bhliain dar gcionn phós sí saighdiúir gan cead ó éinne. Tháinig siad go dtí an chathair ó shin. Bhí ceathrar de pháistí loite acu. Plup! Urchar eile. Bithiúnach eile buailte agus glún thinn Chaitlín ag preabadh ar mire. Í ag crith. Dá dtugadh a compánach faoi deara í dar ndóigh chaithfeadh sé fóirithint uirthi. Ba mheasa léi sin ná a bás. Dhíreodh sí a haigne feasta ar an scannán seanda . . . .

Bean thuisceanach í Mam tar éis an tsaoil. Mura mbeadh í ní bhfaigheadh m'Aintín Bríd fear go deo. Ach bhí fear ag teastáil uaithisin. Bhí sí léi féin ar an ngabháltas ó chuaigh an tseanmhuintir ar slí na fírinne. Níor mhór di áirithe éigin do dheireadh a saoil. Ní thógfaí uirthi bheith ag lorg fir. Go deimhin is i dteach Mham a casadh uirthi an fear céile atá anois aici. Mam a thug ann é d'aon ghnó ach níor lig sí sin uirthi go raibh an beart déanta. Rud iontach is ea an pósadh nuair a bhíonn sé déanta, ach is suarach an meas a bhíonn ag Mam ar éinne a bheadh ag cuimhneamh air roimh ré. Ach amháin duine den tseanghlún a mbeadh gabháltas aici agus cúnamh uaithi do shaothar an earraigh.

Ba mhaith é Daid chun a pháigh sheachtaine a thuilleamh ach ní raibh ann ach sin. Deireadh Mam mura mbeadh í féin go raghadh sé chun na gcapall agus na madraí. Choinnigh Mam iad go léir ar an mbóthar díreach, iad go léir—ach amháin Nóra, agus bhí Nóra neameabhrach . . . .

Beirt ghearrchailí deasa iad cé ná tuigfeadh Mam an saghas románsaíochta a bhíodh ar siúl acu. Cónaí sa chathair a fhág mar sin iad. Bhí an chathair uile róthógtha suas ag románsaíocht. Ach bhí Lil agus Nábla go deas. Bhíodar lán de ghiodam agus de spórt. Bheidís ag fanacht suas léi, ina suí sna leapacha agus tuáillí acu timpeall a gcinn. Bheadh an fhoighne ag briseadh orthu sar a dtosnódh sí féin ar a scéal. Bheadh gach speach ar na héadaí acu agus iad ag sceartaíl.

Nach ciúin a bhí Eoghan ag fanacht. B'shin é an locht a bhí air, go raibh sé róchúthail agus rómhór chun daoine a shásamh. Dá mbeadh Nábla nó Lil mar chúl taca aici dhéanfadh sí magadh faoi. Bhainfeadh sí caint as go breá. Níor mhaith léi bheith pósta leis. Ní móide go bpósfadh aon bhean é. Ní raibh secund compoird aici agus gan ach iad féin sa chuideachta. Bheadh na cailíní ar buile léi. Déarfaidís gur ábhar seanmhaighdine í. Bhí an-ghean acu do Eoghan bocht.

Plup! Rothar? Piostal? Níorbh ea, ach an pictiúir thart. Buíochas le Dia, soilse arís, cuma conas a bhí sí ag féachaint. B'ait léi na suíocháin uile bheith lán de dhaoine. Conas ná faca siad uile an seanphictiúir cheana?

An ólfadh sí cupán caifí?

Ní ólfadh, bheadh a comrádaithe ag feitheamh suas léi.

—Deoch oighre más ea, nó uachtar—

—Ní bheadh, faic! Chaithfeadh sí rith don bhus agus go raibh maith agat.

—Ná raghadh duine ar an mbus ina teannta?

—Agus siúl ar ais! Ní bheadh aon chiall leis sin.

—Í fheiscint istoíche amárach—nó níos fearr fós,

tráthnóna amárach ?

—Ó níorbh fhéidir, chaithfeadh sí dul go teach a deirféar.

—Dé Domhnaigh más ea ?

—Beidh a deirfiúr ag dul amach agus caithfidh sí aire a thabhairt do na páistí. Paca cladhairí iad agus an leaid is óige loite.

—Bhuel Dé Luain ?

—Ní fhéadfadh. Is gnáth léi cuairt a thabhairt ar a deirfiúr tráthnónta Luan. Bheadh sí ag súil léi.

—Lig sé síos mé.

—Tusa a lig síos é.

—Cad a déarfadh Mam ?

—Buachaill breá é.

—Níl aon spórt ann.

—Dá mbeadh spórt ann bheadh sé fiáin, ag caitheamh a choda le hól agus ragairne.

—Ní cheadódh Mam aon ól ná ragairne.

—Ná bac le Mam.

—Ní cheadódh Mam dom dul ina n-aice.

—Ach an buachaill ciúin, cé ná beadh aon mhaith ann—

—Ciúin nó fiáin, is fearr bheith glan leo.

—Tú féin fá dear é agus tá tú glan leo.

—Glan leo.

—Glan leo.

—Glan leo.

—Glan leo.

LÁ AN tSÉIN

TÁ SÉIDEÁN fuachta in Eaglais Chaoimhín sa mhochmhaidin. Seasaíonn an t-ógánach ag doras an eardhaimh agus féachann síos ar na suíocháin folmha. Crapann a chroí. Cá bhfuil an sagart? An cléireach féin? Féachann Beinidic ar a uaireadóir. Leathuair eile le dul, má thug fear an taxi go dtí an áit cheart sinn chor ar bith? Séamas! Tagann Séamas amach as an seomra ionnalta ar gcúl. É ag bogfheadaíl dó féin, agus fothram crua á dhéanamh ag a bhróga nua ar na cláracha loma, crua. Goilleann an fheadaíl go héachtach ar Bheinidic. Goilleann an pus feadaíola air.D'fhéadfadh sé an pus a bhriseadh, an scornach a ghearradh.

Cloistear coiscéim ar an ngairbhéal amuigh. Go mall trom, mar choiscéim fhathaigh, tagann sé níos comhgaraí, go sroicheann an doras taoibhe. Sáitear an chomhla isteach, clár an tsileáin ag scríobadh an talaimh. Cléireach meánaosta cromshlinneánach, cneas ar dhath an mharla. Gan beannú amháin tosnaíonn sé ag tarraingt dráranna agus ag baint éide aifrinn astu. Bhí súil ag Beinidic go gcuirfí ceist ar thug sé an fáinne leis, agus bhí sórt díomá air nuair nár cuireadh. Ansin go hobann:

' An bhfuil an fáinne anseo agat? ' arsa an cléireach

gan a ghreim a scaoileadh den drár. Anois bhí Bein ar
buile ceist chomh simplí léi a chur chuige. Siúd ag
cuardach ina phóca é, ar buile. An aghaidh mharlach a
thachtadh, b'shin é ba mhaith leis. Ach ní raibh an t-am
aige mar bhí daoine ag teacht isteach lár na heaglaise
thíos. Mheas sé láithreach gurbh iad muintir an chailín a
bhí ann. Ach nuair fhéach sé trí scoilt sa doras ní raibh ann
ach bean drochéadaigh agus páiste ar láimh léi. Shuigh
an bheirt anaithnid seo, an dara suíochán ón mbarr, ar
an taobh dheis, a thaobh féin.

(*Imíonn trí síoraíochta.*)

An chéad rud eile gearrchailí scoile. Leath slí aníos
cailleann ar a misneach ag an ngearrchaile chun tosaigh
orthu. Cúlaíonn sí. Sáitheann an chuid eile ar aghaidh
í. Briseann siad ar sciotaireacht. Ag sáitheadh a chéile,
ag cúlú agus ag sciotaireacht tagaid aníos go neamh-
shocair agus tógaid suas ionad trí suíocháin taobh thiar
den bhean drochéadaigh.

(*Cheithre síoraíochta.*)

Tagann an sagart. Beannaíonn sé do Bheinidic go
croíúil, leathmhagúil. Bhí rian fola ar smigín an tsagairt
mar ar ghearr sé é féin leis an rásúr. Samhlaíonn Beinidic
gur masla dá phósadh é sin. Fonn magaidh ar an rógaire
sagairt agus na cosa lag ag Bein ó bheith ag feitheamh.

(*Seacht síoraíochta.*)

Gearrshlua san eaglais anois. Deich suíocháin lán ar
dheis, fiche suíochán ar chlé. Beinidic agus Séamas agus
a mhuintir ar an mbinse tosaigh. Ceol glórmhar eaglasta ;
an t-orgánaí in ardghirréis. Seinneann sé a bhfuil sna
leabhair aige. Ansin tosnaíonn sé ag cumadh. Ceol

neamhdhleathach, a raibh an eaglais mar athair agus an halla rince mar mháthair aige. Cuirfidh sé Pól le báiní. Pól an t-uncal a thug céad punt ar iasacht do Bhein ar acht ná caithfeadh sé é ar amaidí. Ba dhiabhail an obair deich bpuint a thabhairt ar thoirneach dhroch-cheoil chomh luath sin ar maidin. Bríd fá ndear é. Bhí orgánaí ag a deirfiúr nuair phós sise an t-éadaitheoir i gCorcaigh.

An uair ba lú coinne leis d'athraigh an fonn anaithnid go ' *Seo Chugainn an Bhríd—*.' Ach stad sé i lár barra. Bhí faoiseamh iontais ann ar feadh cupla neomat. Ansin thosnaigh an ceol leamh nuachumtha arís mar bhí. An turas seo bhí Bríd i raon éisteachta. Bhí sí díreach taobh amuigh de dhoras ag tabhairt fána hathair, á dhíriú, ag díriú a bhóna agus ag ceartú a uilleann dó. Bhí an fhearg ag tormach istigh ina chroí aige siúd. Mheas sé aon léacht amháin deireannach a thabhairt di, agus é thabhairt ó thalamh. Thabharfadh chomh maith ach gur smaoinigh sé nár ghá. Bheadh an cúram sin feasta ar dhuine eile, moladh agus buíochas le Dia. Ghlac sé foighne agus cheadaigh é shocrú mar ba mhaith léise. An dara uair cuireann sé cos thar doras, agus den dara uair tarraingtear siar é. An bhrídeog féin a bhí bun os cionn an turas seo. Cnaipe beag ina hucht agus leath-cheann air. Naoi gcnaipe déag mar shaighdiúirí cróga ina gcoilgsheasamh i reainceanna, agus aon chnaipe beag amháin faon. Níorbh fhéidir a fhulaingt. Raghadh sí abhaile. Bheadh sí náirithe. Buaileann an bhean choimhdeachta an cnaipe. Bréagann an mháthair an cnaipe. Tugann an bhrídeog aghaidh a béil ar an gcnaipe. Tar éis é stathadh agus a sháitheadh, a fháscadh agus a bhrú, ar deireadh suíonn sé ina riocht ceart arís. Tá an bhrídeog go buach. Beireann sí ar an athair agus stiúraíonn sí léi é.

A luaithe agus thagaid taobh istigh de dhoras na heaglaise tig athrú sa scéal. Is ise atá go mánla agus thabharfá an leabhar gurb é an t-athair atá ag stiúrú. Siúlann sí mar shiúlfadh aingeal, aingeal a bheadh beagán eaglach. Chíonn sí súile na bpáistí agus na seanbhan dírithe uirthi cheana féin. Stadann a n-anál le hiontas na háilleachta. Dá mbeadh Neillí anseo chun í fheiscint ! Thabharfadh sí an tsúil as a ceann Neillí a bheith anseo ! Bhí cúis aici ar Neillí. Nach ndearna Neillí ionsaí fíochmhar chun teacht idir í féin agus Bein ! Ba chuma ach an chalaois agus na modhanna uirísle—ní haon chailín galánta a bheadh ciontach ina leithéid !

Bein ! Riamh ó aréir níor smaoinigh sí air. Anois bhí sí taobh leis arís. Ba dhóigh leat gur dealbh chloiche é. Oiread agus mala leis níor chorraigh sé ag cur fáilte roimpi. Nárbh é an coileán é ! Ar ball déarfadh sí leis go raibh sé lofa ar fad. Bhris an gol uirthi. Thosnaigh an bhean choimhdeachta ag cogarnaigh léi ag tabhairt sóláis di. Ní ábhar scannail gol ná cogarnach le linn pósadh. An sagart ag teacht amach cheana féin . . . agus . . . an foirgneamh . . . ag snámh . . . ina timpeall . . . .

Leathbheannaithe, leath ar nós cuma liom, adúirt an sagart na paidreacha. Bhí bior i súile agus i gcluasa gach éinne ar eagla an rud is lú d'imeacht uathu. Aon phaidreacha adúradh, bhíodar meidhreach, ach cuireadh croí iontu. Bhí smaointe seachtaracha ag trasnú orthu ; sollúntacht na hócáide, fiosracht i dtaobh conas adéarfadh

an bhean óg nó an t-ógánach an ' gabhaim,' cá fada eile
go dtosnódh an bricfeasta. Anois agus arís thugadh an
bhean drochéadaigh sonc d'iníon a hiníne, agus de chogar
mhíníodh di . . . .

NA DEARTHÁIREACHA

BALL meastúil is ea Cnoc Mhuirfean agus ní taise don bhus a théann ann. Bus dhá dheic é amhail gach bus cathrach eile ar shlí. Ach an scuaine bheag daoine a bhíonn gach Satharn ar a haon ag cúinne Plás Mhic Liam ní leomhann siad drannadh leis. Imíonn sé tharstu mar d'imeodh carráiste fear bán thar na gorm-aigh san Afraic. Ag dul thar dhroichead na canálach caitheann sé a leath deiridh san aer le drochmheas. Agus bíonn an giolla i mbéal dorais ar eagla aon lúthaire de lucht na hiolscoile léimt ar bord chun a shlí luath a dhéanamh go cluiche i mBelfield.

Fir chúig pingne ar fad a bhíonn sa bhus seo. Fir óga nuaphósta agus iad fillte i gcótaí móra, i hataí, i gcar-bhataí cniotáilte agus i lámhainní bronntais. Fir atá buan faoin stát agus atá ina marcanna maith go leor chun iasacht airgid fháil le teach nua a thógaint nó a cheannach. Fir lán de dháiríre gur mó a gcaint ar shíolchur ná na feirmeoirí, gur mó a n-oiliúint ar ghiuirléidí ná na siúin-éirí cearta.

An Satharn seo b'éigean don bhus maolú beagán chun ligint do loraí adhmaid iompó isteach Bóthar Mhespil. Ar ámharaí an tsaoil bhí an giolla imithe an staighre

123

in airde le leid rásaíochta a fuair sé ó fhear an hata léith.
Agus an bhearna gan cosaint tháinig an stróinséir ar bord.
Mar thitfeadh sé anuas ón spéir a thuirling sé ansin,
scafaire ard, caol, slinneánach. D'iompaigh na fir bhána
siar agus doicheall ina súile. Ach orthu sin níor thug sé
aon aird. Ní dhearna sé ach a dhroim a iompó leis an
suíochán taoibhe agus tosnú ag tónacáil chun slí a dhéan-
amh dó féin. Mórán ní fhéadfaí a ghéilleadh dó. Bhí na
fir ar gach taobh de róleathan, a gcótaí róthiubh agus a
bpócaí rólán d'airnéis. Ach bhí geabairdín an ógánaigh
caol sleamhain agus lean sé air ag dingeadh go ndearna
sé seilp thaca dó féin. Orlach eile agus bheadh sé ina shuí
i gceart. Bheadh sé ar chuma ná aithneodh an giolla ann
é. Cheana féin bhí sé ag tarraingt na malaí ar a shúile—
malaí socra sásta an phaisnéara a mbíonn a thicéad ina
mhainchille aige.

An fear idir é agus an inneall rinne sé únfairt bheag.
Bhuail a anál go tais ar chúl a mhuinéil. Bhí an fear ag
caint :

' An dóigh leat go bhfaighidh Mac Domhnaill é ? '
Ní tháinig aon fhreagra ón taobh eile. Bhí tost agus
sos drochamhrais ann. Únfairt ba mhó beagán, ach bhí
fós dea-mhúinte.

' Mac Domhnaill a bhí mé a rá, an dóigh leat go
bhfaighidh sé an t-ardú ? ' Arís an tost agus an droch-
amhras. Theann an scafaire a stoc iolscoile níba airde air
féin. Rud éigin á rá leis nárbh inmholta féachaint siar.
D'fhéadfadh fear aitheanta dá dheartháir Páid a bheith
ann. Nó Páid féin ? A thiarcais ! Anois ní fhéachfadh
siar ar ór na cruinne. Fiarshúil chleachtaithe ar dheis agus

idir é agus an doras ba léir dó leathbheann fhairsing de
crombie gorm, droim láimhe guaireach, agus bairricíní
bróg a bhí so-aitheanta go leor. Páid dar a leabhar ! Ba
mhaith leis a shlogadh trí urlár an bhus. An sprionlóir
Páid a ghearánfadh sa bhaile é. ' Ní haon dea-theist a
chloisim ar scoláire óg an tí seo. É féin agus mac an T.D.
ag ól agus ag déanamh bachraim sna hallaí rince.' B'shin
é an saghas é Páid. Geocach tirim deannaigh a bhí lán de
mhór-is-fiú agus de gheáitsí agus de dheasghnátha.
Brabúsaí a cheartódh focal do bhéil agus a lochtódh do
chrot agus do fheisteas éadaigh. Páid go mbeadh an ur-
labhra thláith aige le piaraí móra, agus an searbhghlór dá
dheartháir. Ba bheagní an searbhas dá síneadh sé coróin
chun duine anois agus arís. Ach sin rud ná déanadh agus
ná déanfaidh. Ar ndóigh dá mbeadh aon mhaith in aon
chor i bPáid do labharfadh sé leis féin an neomat a tháinig
sé isteach sa bhus. Níor labhair mar bhí sé loite ag coimh-
thíos an bhoic mhóir. Cad ina thaobh nár thug sé
cuireadh chun an tí dhó mar a thabharfadh aon deartháir
nádúrtha ? Bhí deartháircacha ag daoine eile . . . .

Scoith an bus Domhnach Broc gan stad ná staonadh.
Bhí an scafaire ag teacht go dtí ceann a riain. Bheadh sé
macánta oscailte neamhspleách agus thiocfadh sé amach
cruinn díreach ar aghaidh árasáin an T.D. Cead ag Páid
a rogha brí a bhaint as. Mar sin nod réidhchúiseach chun
an ghiolla. Cé gur choinnigh sé i gcónaí an aghaidh
smaointeach air féin d'imigh sé d'aon truslóig fhada
fhonnmhar amháin ar an mbóthar amach. Bhí an giolla
ag maistreadh na bpinginí lena dheasóig. Ba ghéar-
phéineach é an ceol.

' Mac léinn ! ' arsa an comrádaí ar chlé le drochmheas.

' Chomh dealraitheach lena athrach,' arsa Páid, agus áthas croí air nár chuir sé in aithne dá chéile an bheirt.

' Mac Domhnaill, má fhaigheann sé é— ' arsa an comp-ánach ag leanúint dá chomhrá díreach agus mar ná cuirfí isteach riamh air. B'shin é bua an duine dea-thabhartha suas. Ní raibh éinne san oifig a bhí inchurtha le Burt ar an gcuma sin. Agus go deimhin ba mhithid do Thoir-dhealbhach fios a bhéas a bheith aige. A raibh d'airgead iolscoile á chaitheamh leis ! Níor caitheadh le Páid ach an chaolchuid, táillí na mBráthar Críostúil i gCaiseal. Pé céim a bhí bainte amach aige ó shin is de thoradh cruashaothair a bhain sé amach í. Ródhian a bhí sé ag obair, istigh agus amuigh, agus bhí Nóra á rá dá leanadh sé air gur gearr go dtarraingeodh sé duairceas air féin. Ba fhada ó dhuairceas Toirdhealbhach. Agus ní raibh eatarthu ach cúpla bliain . . . . Chomh lúfar le haon fhámaire iolscoile amuigh léim Páid den bhus. Thaispeán-fadh sé don saol mór ! Stad an giolla de bheith ag suathadh na bpinginí.

' É *mister,* do chuid admhaid ! ' Chas Páid ar a sháil agus é trí chéile go leor. Ghabh sé buíochas go fuíoch leis an ngiolla. Náire a bhí air agus saghas eagla. Bhí na cuaillí adhmaid chomh fada sin nár chóir iad a ligint ar bord chor ar bith. Agus ba ródheacair slí a dhéanamh dóibh fán staighre. Ba shaoire ámh a dtabhairt leis mar sin. Bhí geallta aige do Nóra go gcuirfeadh sé suas an tuarlíne inniu. Bhearrfadh sé an léana agus an fál. Roimh fhuineadh an lae chuirfeadh sé dril eile cabáiste. Ansin tar éis éisteacht le Tuairisceoir an tSathairn bheadh am aige na seilpeanna a shocrú sa chóifrín. Bheadh náire air go deimhin admháil do Bhurt go raibh an oiread sin oibre á dhéanamh aige.

' Duine beag galánta an giolla sin,' arsa Burt.

' Ó tá, an-ghalánta,' arsa Páid.

' Is mó ualach ait a tógtar as bus anseo i gCnoc Mhuir-fean,' arsa Burt.

' Airiú bíodh an diabhal ag lucht scrogaireachta,' ar Páid agus é ag lasadh. Chuir sé na cuaillí ar a ghualainn agus ar aghaidh leo suas Bóthar na gCrann gan focal astu. Ar aghaidh leo trí ghaineamhlach coincréide nua agus cré doinne. An lá ag dul i mbrothall. Nuair shroicheadar ceann an bhóthair labhair Burt :

' Cad déarfá leis ? '

Leag Páid bun na gcuaillí ar an talamh.

' Aon cheann amháin ? ' arsa Burt arís.

' Ní chuirfinn ina choinne,' arsa Páid. Thugadar cúl lena mbaile féin agus a n-aghaidh siar ar Bhaile na nGabhar.

II

Bhí Toirdhealbhach ina shuí ar bhloc eibhir agus é ag breathnú soir os cionn Dhún Laoire ar Mhuir Meann.

' Dá laghad *impedimenta* a bhíonn ag duine,' ar seisean go fealsúnach, ' is ea is sona a bhíonn sé. '

' Tá an fhírinne ar fad agat,' arsa Meaic, ' más Éirean-nach atá i gceist agat. Óir atá scríofa go ndónn an tsóin-seáil trínár bpócaí.'

' Ní Éireannach mo dheartháir Páid más ea,' arsa an buachaill eile go tur.

' Airiú ná bí chomh dian sin air.'

' Sea díreach. Éireannach ab ea é ach le bliain tá sé iompaithe ina Quaker, ina Iúdach.'

' Bean, teach agus gairdín, dhéanfaidís bodhramán den duine is intleachtúla ar bith.'

' Go réidh a Mheaic, go réidh. Coinnigh an saghas sin cainte go mbeir sa Dáil.'

' Tusa thosnaigh é,' arsa Meaic. D'fhág Toirdhealbhach an buille scoir aige mar ba ghnáth.

Do réir mar a bhí an ghrian ag dul siar ó dheas bhí an bheirt ag iompó ó thuaidh siar. Ar feadh i bhfad bhí radharc acu ar an gcathair. Smúr íseal ceo ar an taobh thuaidh agus spuaiceacha ag gobadh tríd. D'aithin Meaic iad uile. Níorbh aon chabhair bheith ag trasnú air. Sa deireadh ghlan an ceo go dtí ná raibh ach tointe bheag os cionn Chluain Tairbh agus é sin ar dhath an óir. Agus do rinne ór de chríocha Fhine Gall. Agus machaire leathan Midhe i ndiaidh a chéile do líon sé d'ór. Agus bhí an bheirt agus a n-aighthe cruinn díreach siar ar an ngréin ag dul faoi i lárchuilithe an chuid ba dheirge agus ba sholasmhaire den loch órga. D'aon aonta d'éiríodar agus bhuaileadar an cnoc síos.

I gclós an ' Ghabhairín Bhuí ' bhí capall agus cairt, Jaguar, lorraí uachtarlainne agus dhá Phrefect. Ar leataoibh an dorais bhí cuaillí geal-bhána adhmaid agus an capall á mbolathú. Ach gan féachaint deas ná clé rinne mac an T.D. ceann ar aghaidh isteach. Lean Toirdhealbhach lena shála.

' Dhá phiúnt,' do scread Meaic á sháitheadh féin

eatarthu seo a bhí cliathánach leis an gcuntar. Ní túisce
bhí an focal as a bhéal ná d'éirigh béic ón gcúinne.

'Tearaí ! Meaic ! Féach cé tá agam. Tagaigí anseo a
dhiabhala. Tá *banquette* anseo againn mar adéarfadh
duine . A Bhurt, seo é Tearaí, lúthaire an tí seo againne,
a rabhas ag caint leat air. Agus seo é Meaic, mac an té
úd—. A bhuachaill seo é Burt, mo pháirtí boird san
oifig. Agus fear maith lúthchleas—bhí a lá aige ar nós
na coda eile againn. Ach féach, suígí, suígí. Cad a
bheidh— ? Fo, fo, lig domsa íoc as !' Thug Páid a
áit féin do Mheaic agus do shuigh amuigh ar chathaoir
chaolaigh. Bhí cathaoir eile ag Toirdhealbhach ar aghaidh
Bhurt anonn. Bhí cneas fionnbhuí ar Bhurt, gruaig bhuí,
croiméal buí. Chuir an dreach Sualannach seo Tearaí
as a shocracht. Chuir leis cuimhne an bhus. Ach bhí
grainc shástachta ar Pháid agus bhí Burt ag féachaint
chomh lách le banbh biata.

'Agus cloisim,' arsa Burt, 'go dtig leat an dá throigh
is fiche a ghlanadh gach léim a chaitheann tú.'

'Ní dhéanfainn de gach iarracht é,' arsa Tearaí bacach
go leor.

'Dhéanfadh, dhéanfadh,' arsa Páid ag teacht i gcabhair
air, 'nach ndearna tú fiche a dó ceathair go leith i
mBelfield ?'

'Is dócha é,' arsa Toirdhealbhach.

'Níl aon dócha ina thaobh. Agus sa bhaile ar *sports*
na Carraige rinne sé trí orlaí níos fearr ná sin—'

'Suas le Carraig na Madraí !' arsa Tearaí ag leamh-
gháirí chun Meaic.

'Suas le Guinness !' arsa Meaic ag ardú an ghloine

cúrchruachta a cuireadh os a chomhair. Ansin d'ardaíodar go léir a n-árthaí luchtaithe go airde na gualann.

'Bhur sláinte go léir!' arsa Meaic arís.

'Sláinte is saol chugat a mhic ó! arsa Páid.

'Siúd oraibh, siúd oraibh!' arsa Burt agus é ag súil go raibh an nós Gaelach i gceart aige. Ní dúirt Tearaí faic ach an piúnt a chur lena bhéal agus slogóg fhada righin a bhaint as d'fhág leathfholamh é. An bheirt a bhí ag ól ar feadh an lae ní dhearnadar ach scíobas beag a bhaint as a ngloiní féin.

'Rinne sé mhuise,' arsa Páid, 'fiche a dó seacht go leith ar pháirc na Carraige, ach ní raibh an talamh frofa. Mór an trua ná raibh mar tá fhios agam má bhí fána ar bith ann gur anuas ina choinne a bhí sí.'

'An bhfuil tú ar tréineáil ar an aimsir seo?' arsa Burt agus é ag meas ceann, cabhail agus suíomh slinneán Thoirdhealbhaigh. D'ardaigh Páid a mhéireanna i gcoinne Tearaí á stop sa bhfreagairt.

'An boc seo ar tréineáil! Ha, ha, ha! Sin caint bhreá go deimhin. Is eol dúinn an tréineáil a dhéanann sé sa Chrystal ar a dó a chlog san oíche. É a Mheaic?' ar seisean ag caochadh súile trasna an bhoird ghlais.

'Ní mór beagán caitheamh aimsire leis,' arsa Burt, 'shamhlaínn féin i gcónaí go gcuireadh rince nó dhó sméar mullaigh ar mo thréineáil.'

'Bhíodh Burt ar fhoireann na Tríonóide, go dtí an taca seo anuraidh,' a mhínigh Páid.

'Tréineáil siúil a bhí inniu agaibh?' arsa Burt.

'Chuamar chomh fada le Cnoc Cuilinn, ar siúlóid tá fhios agat, mar chaitheamh aimsire tá fhios agat.'

'Iománaíocht an tréineáil is fearr ar bith,' arsa Meaic go sollamanta. 'An té imríonn í bíonn sé i gcónaí lán de cheol.'

'Iománaíocht !' arsa Burt, 'd'imrís-se an cluiche sin leis a Pheaidí ?'

'D'imríos, ach thug mé suas í.'

'Agus bhí sé go maith,' arsa Meaic, 'bhuaigh sé Craobh an Chontae i dteannta bhuachaillí na Carraige.'

'Thugamar do na Sáirséalaigh é an lá sin,' arsa Páid.

'Lá éachtach,' arsa Meaic, 'dá n-óladh do bhróga pórtar—'

'Agus an oíche ina dhiaidh !' arsa Toirdhealbhach, 'an rince ab fhearr a bhí sa Charraig riamh.'

'Sea, sea,' arsa Páid go magúil, 'ná dearmaidse an rince.' Bhí sos ann ar feadh scathaimh bhig.

'Imríonn sibh go léir an cluiche seo ?' arsa Burt.

'Cad chuige ná imreoimis,' arsa Páid go teasaí, 'd'imir ár sinsear í nuair ba gheall le coir bháis í imirt.'

'Hurrá !' arsa Meaic.

'Ach d'imríodar í !' arsa Páid ag glacadh uchtaigh. 'Bhí mo sheanathairse ar fhoireann Charraig na Madraí nuair a bhuadar Craobh na hÉireann sa bhliain 1882.'

'Níorbh ea,' arsa Tearaí, 'ach 1892.'

'Ná fuil fhios agamsa go dianmhaith, mo sheanathair féin—'

'Ba é mo sheanathairse leis é, agus ar aon chuma níor chuir Mícheál Cíosóg an C.L.G. ar bun go dtí—'

'Is cuma liom i dtaobh C.L. ná C.G. Tá fhios agam gur imir mo sheanathair iománaíocht sarar imir an Cíosógach riamh í.' Ansin do shuigh sé siar ag glacadh mórtais. ' Agus an bhfuil fhios agat a Bhurt, an lá bhí an sochraid ónár dteachna bhí ceathrar M'riaineach faoin gcomhra agus bonn na hÉireann ar a chasóg ag gach aon duine acu. '

' Is eol dom teaghlaigh rogair a bheith ann,' arsa Burt, ' ach do réir dealraimh tá teaghlach iomána agaibhse.'

' D'fhéadfá sin a thabhairt orainn. Ní iománaíocht amháin ach gach aon tsaghas lúthchleasa.'

' Léim fhada ? ' arsa Burt.

' Sea, agus gach aon tsaghas léime. An lá úd a bhí mo sheanathair á chur d'fhéadfá seisear a chomhaireamh a bhain amach craobh an domhain.'

' Cúigear ! ' arsa Toirdhealbhach.

' Ná bí ag mo cheartú, seisear ! '

' Cé hé an séú duine agat ? '

' Mícheál Ceart.'

' Ní raibh aige sin ach Craobh na hÉireann.'

' Fan anois, ná deachaigh sé go Meiriceá le Díorma an Ionraidh i mbliain a '87 ? '

' Agus buadh air thall ! '

' Níor buadh.'

' Ceart, Cart,' arsa Burt d'fhonn réitigh, ' an raibh aon bhaint ag an Ceart seo le Colonel Cart, fear úd na meáchan a chaitheamh ? '

' Airiú ní raibh. Cearta is ea sinne go léir. M'riainigh Chearta. Gaol gairid dúinn Mícheál Ceart.'

' Leasainm,' arsa Tearaí.

' Ní hea,' arsa Páid, ' agus is cóir a mhíniú don duine uasal seo nach ea. An dtuigeann tú a Bhurt, nuair atá dúthaigh lán d'aon tsloinne amháin ní mór idirdhealú a

132

dhéanamh idir na fothreabhchasaí. '

' Tuigim, tuigim,' arsa Burt.

' Tá na M'riainigh Cheithearnúla ann, agus M'riainigh an Bhréidín agus an mhuintir Chumasach, agus uí M'riain Cleithirí—

' Agus na M'riainigh Chamchosacha,' arsa Tearaí, agus gháir gach éinne.

' Na M'riainigh Sháspain,' arsa Tearaí arís. An turas seo níor gháir Páid. D'ardaigh sé a lámh ag éileamh ciúnais.

' Sea, tá siad ann agus ní ealaí dhúinn bheith á cheilt. Ach dream uiríseal iad. Sinne na M'riainigh Chearta, cinnirí an chine ó ré imchian.' Leath a shúile ar Bhurt.

' Is den fholaíocht uasal sibh más ea ? '

' Den fholaíocht is uaisle ar bith. Tig liom é chruthú. Agus an t-am agam raghainn go Sáirsint na nArm sa Chaisleán agus gheobhainn mo ghinealach uaidh. Bhí aithne phearsanta agam ar Mhac Giolla Iasachta.'

' Mo léir,' arsa Meaic, ' ní bhfaighfeá focal i dtaobh do shinsear sa Chaisleán.'

' Gheobhadh,' arsa Burt, ' tá ginealaigh na ndeatheaghlach go léir ann. Do rianaíos mo mhuintir féin, siar ar fad go dtí a gcéad teacht go hÉirinn i ré Queen Anne.'

' A Thearaí,' arsa Páid go maoithneach, ' b'fhéidir go raghfása go dtí an Caisleán thar mo cheann. An té a bhíonn pósta bíonn sé ceangailte.'

' Is fíor é,' arsa Burt.

' Bíonn de dhualgas air aire thabhairt dá bhean agus dá chlann.'

' Gan amhras ! '

' Ní bhíonn am ná airgead aige d'aon chúrsa ach do ghnóthaí tí.'

' Lom na fírinne agaibh a bhuachaillí.'

' Ach ba chóir do Thearaí beagán taighde a dhéanamh thar ceann mórtais a chine.'

Déanfaidh leis mura bhfuil na scrúduithe róchomhgarach.'

' Idir an dá linn raghadsa abhaile chun aire thabhairt dom phlandaí beaga cabáiste.' Níor chuir éinne leis an gcaint sin. ' Agus caithfidh mé tuarlíne a chur suas, ceann a ardóidh go héasca ar ulóga.'

' Ní dhéanfaidh tú anocht é,' arsa Meaic, ' tá sé tar éis a hocht.'

' Tar éis a hocht ! ' arsa Páid ag éirí agus ag gormú.

' Maróidh an tseanbhean tú,' arsa Meaic go magúil.

' Ní haon tseanbhean atá agamsa ach cailín béasmhar cathrach. Ní bheadh fhios aici conas focal searbh a rá murab ionann agus daoine eile.'

' Gabhaim do leithscéal,' arsa Meaic.

' Tá fáilte romhat ! Agus ós mar sin atá beidh tréit eile timpeall againn. Níl aon dithneas ormsa. Tuigfidh Nóra an scéal. Ní gach aon lá a castar mo bhráithrín orm, agus Meaic, an té fhéadfadh áis a dhéanamh ar ball. É a Bhurt ! ' ar seisean ag caochadh a shúl.

III

Gan coinne dá laghad a bheith leis tháinig fear leathanghuailleach ag glaoch an ama.

' Taistealaithe sinne,' ar Meaic.

' Taistealaithe,' arsa Tearaí.

' Ní hea an bheirt againne,' ar Páid. ' An fhírinne thar gach ní.' Ansin chaoch sé súil chun Burt arís agus do sméid ar an bhfear mór teacht chuige. Chuir sé cogar ina chluais agus nóta airgid ina láimh agus d'éirigh go gliondarach. Ar ghabháil amach an doras mór dóibh síneadh sóinseáil chuige agus beart mór donn.

Bhí na bataí bána amuigh i gcónaí agus drithleadh drúchta orthu fán lampa. Thóg Burt ceann acu agus choinnigh na daoine amach uaidh. Thóg Tearaí an ceann eile agus chroth san aer é ag ligint air go raibh brat ar a bharr.

' Suas le Carraig na Madraí ! ' do gháir Tearaí.

' Hurá ! ' arsa Páid agus d'fháisc sé an beartán fána ascaill agus chaith trí léim tútacha. Shiúil Meaic ina ndiaidh aniar, a dhá láimh ina phócaí agus toitín ina bhéal.

IV

Nuair d'fhág Burt slán acu gheall sé iad a leanúint. Thóg Tearaí an bata uaidh. Is ar éigin a thug Páid faoi deara ag casadh uathu é.

' Bígí ciúin a gharsúna ag gabháil thar *Masabielle*. Níor tharraing muintir *Cherryfield* aon dallóg fós ó thángadar anseo. Nach gránna an béas é. Agus an chéad gheata eile anois mo gheatasa, agus an teach a thóg Páidín.'

' Chím go bhfuil ainm Ghaelach agat air,' arsa Meaic. ' *Cill Rónáin*, ainm a thaitneodh leis an bPiarsach.'

' Shamhlaigh Nóra gur fhuaimnigh sé go deas.'

' Ní raibh aon cheart agat,' arsa Tearaí, ' gan *Carraig*

na Madraí a thabhairt air.'

'Dar an leabhar gur fíor duit a dheartháir ! Gan amhras, *Carraig na Madraí* ! Nár dhúr a bhí mé ? Amárach le cúnamh Dé leagfar *Cill Rónáin* anuas ar mhullach a chinn. Leagfar sin ! Ach téanaigí isteach a leadanna. Bhéarfaidh Nóra rud le n-ithe dhúinn.' Chun a chur in iúl chomh staidéartha agus a bhí sé sháigh sé an eochair sa ghlas d'aon amas amháin. Ansin bhrúigh sé an doras roimhe le fórsa fothramúil. Bhí fallaí an halla go gléigeal soilsithe ach iarrachtín lom.

'A Nóra, haighe, a Nóra !' Ní tháinig aon fhreagra. Sháigh sé a cheann sa tseomra suite ach ba ghearr an mhoill air tarraingt siar arís. Rinne sé díreach ar aghaidh isteach sa chistin. Bhí an solas ar lasadh. D'oscail sé cóifrín anseo agus cóifrín ansiúd.

'Suígí a bhuachaillí, ní fheadar cá gcuireann sí féin rudaí.' Thriail sé an ciotal aibhléise a chur i bhfearas agus thug Meaic cúnamh dó.

'An friochtán a leadanna, an friochtán an fear is fearr.'

Ansin chuaigh sé arís go dtí an chéad chóifrín. Bhuail tarraingeoir corc leis. Stad sé. Phioc sé suas an rud beag.

'Féach a Thearaí,' ar seisean, ag síneadh i dtreo an bheartáin, ' bain na cinn de thrí buidéal acu sin.' Shuíodar ansin tamall ag ól ar a suaimhneas as na scrogail.

'Tá teach breá agat,' arsa Meaic d'fhonn comhrá.

'Ní fada a bheidh sé breá,' arsa Páid, ' nuair thosnóidh an M'riaineach óg ag iománaíocht istigh is amuigh ann.'

'M'riaineach Ceart !' arsa Meaic.

'Ceart gan amhras.' Agus tar éis scathaimh ciúnais, ' Ná bígí á cheapadh a leadanna gur aon doicheall a bheidh ar Nóra romhaibh. Óir is mithid mo dheartháirín agus mac T.D. na Carraige a thabhairt chun an tí. Bíonn a cairde siúd anseo gach dara lá agus is maith an chóir a chuirimid orthu. A Tear' a chroí dícheann trí bhuidéal eile !' Ansin d'éirigh sé arís agus chuaigh amach sa halla go bun staighre, agus ghlaoigh. Bhí corraí beag thuas.

'Haighe, a Nóra ! Bhfuil tú ansin ?' Lean beagán macalla an glór. Ansin ciúnas. Bhí an ciotal aibhléise ag crónán go caol fíneálta . . . .

'Déanfaimid tae,' arsa Páid, 'agus nuair thiocfaidh sí féin réiteoidh sí feoil dúinn.' Bhain sé tarraingt bheag as an mbuidéal a bhí ina láimh i gcónaí.

'B'shin lá éachtach a Pháid, an lá a bhuamar i nDurlas,' arsa Meaic.

'An lá a bhuaigh an Charraig !'

'Lá éachtach !'

'Lá éachtach aerach !'

'An-lá, an-lá !'

'An-lá ! agus oíche ina dhiaidh.'

'Burt, cad tá á choimeád ?'

'An-lá, an-lá.'

COMHTHRÁTHAÍOCHT

'A GHRÁ GHEAL,' ar seisean, 'thar gach ní eile is é an rud bheith ag an am ceart san áit ceart.' Ní thug sí freagra air ach chuir a pus san aer agus d'fhéach uaithi an treo a rabhdar ag siúl.

'Aréir thug tú do stóirín orm ; anocht ní labhrann tú liom.' Chroith sí a guaille, tháinig a corrán amach.

'Ní rabhas mór leat aréir,' ar sise go géar, 'agus má tá rudaí á dtaibhreamh duit níl lá leighis agamsa ort.'

'A ghrá gheal, níl ann ach comhthráthaíocht, níl sa saol ach comhthráthaíocht.'

'Ba dhóigh le duine ort gur ag léamh an *horoscope* a bhí tú.'

'Is gráin liom an focal, ach ós uaitse thagann sé cuirfidh mé suas leis. Ní ghéillim ámh ná raibh an ceart ag na Gréigigh nuair a chonaiceadar réamhscéal a mbeatha féin sa spéir. Ní gan fáth a beirtear fán réalt seo nó an réalt eile úd tú. Agus ní gan toradh. Féach mise ! Idir dhá mhór-réalt a tháinig mé ar an saol. Bhíos déanach agus róluath ; luath agus ródhéanach. Ó shin i leith ní bhím choíche in am ceart d'aon rud, i gcónaí róluath nó ródhéanach.'

Bhíodar tagaithe ar bhóthar na faille agus ba chlos an

taoide tuille ar dhuirling na trá. Bhí an t-aer láidir lag-
fhuar mar scian gan faobhar. Mhoilligh sí agus rug greim
ar a uillinn.

' Ní bheidh mé ródhian ort,' ar sise, ' níl de chúis agam
ort ach gur págánach tú. Chun na fírinne a rá is leath-
phágánach mé féin. Anocht mar shampla, tuigim glór na
mara go págánta.'

' Ó, a rún gheal, chím gach lá an phágántacht ionat.
Chím Deirdre id shúil agus níor Chríostaí ise.'

' B'fhéidir tú bheith ar an mbóthar ceart.'

' Ach ní bhímid air ag an am ceart.'

' Ná luaigh an focal gránna sin arís, muran miste leat.'

' Sin é a mhilleann sinn. Tagann Naoise ár ndiaidh
agus bíonn sé romhainn. Saighdiúir ab ea Naoise.
Bíonn na saighdiúirí de shíor ag sciobadh spéirbhan na
bhfilí. An chomh— '

' Ná habair é ! Lean ort ar Dheirdre.'

' Deirdre bhocht ! Bíonn na mná eile go léir ag éad
léi—agus le chéile. Pé fear a bhíonn acu ní bhíonn suim
acu ann go n-imíonn sé le neamhshuim, nó le bean eile.
An ch— '

Rug sí ar a mhéireanna idir a dá dhearnain agus d'fháisc
iad.

' Ní fíor, ní fíor,' ar sise óna croí, ' tig le bean fíorghrá
a thabhairt, an grá buan gan claonadh.'

D'oscail an dúthaigh rompu amach. Ba léir an fhaill
ag gealadh. Ba léir na scamaill sa spéir. Ba léir an mhuir.

' Féach ! ' ar sise, ' nach álainn é.'

' Álainn agus beannaithe.'

' Agus féach taobh thiar dínn an ré ag éirí.'

' An ghealach ina suí ar ghuala Chnoc an Fhiolair agus
Móin na bhFian tuilte le hór.'

' Tá an t-aer ag suaimhniú agus an fuacht imithe.
Ar ócáidí den tsaghas seo i gcónaí ciúnaíonn an t-aer.'

' Tá sé ina lánmhara agus dath meala ar chúr na trá.'

' Ní fhacas riamh chomh hálainn é.'

' Cuireann radharc den tsaghas seo cathú orm nach
péintéir mé. Le scuab na ndath amháin a fhéadfaí ceart
a thabhairt do na hiontaisí os ár gcomhair.'

' Déanfaidh tú dán orthu. Tráth éigin amach anseo
adeirim. *Emotion recollected* . . . . '

' Tabharfaidh mé faoi . . . . '

' Ach éireoidh leatsa a stóir. Féach ! Táim ag tabhairt
stóirín arís ort ! '

' Tá ualach ar mo chroí, an t-ualach a bhraith gach
file riamh agus míorúiltí Dé ag luí róthrom air.'

' Beirim ar láimh ort. Lig ormsa leath an ualaigh.
Deirim " mo stóirín " leat arís agus arís eile.'

' Fán ualach áilleachta seo is cuma leis an bhfile an
bhean. Bíonn sise ag éad leis an áilleacht agus bíonn
seisean ag éad le Dia. Págánach mar mise a bheadh ag
machnamh ar Dhia. Ní dócha go bhfuil ann go fíor
ach—cé an focal úd a bhí agam ? Ná goil mar sin, ná
goil in aon chor, muran miste leat.'

CAITRÍONA AGUS AN LAOCH

IS MÍRÉASÚNTA an duine í Caitríona, banfhile Bhéal Feirste. Ní shásódh an saol í ach teacht go Ciarraí chun go gcumfadh sí liricí ar áilleacht na sliabh agus na ngleann. Tháinig sí ar chuairt míosa, agus tar éis deich lá tá sí ag ullmhú chun dul abhaile. Ní chumfaidh sí líne arís, adeir sí, go bhfaighidh sí leigheas a súl in úrchnoic Aontroma. Inniu, i ndiaidh lóin, dúirt sí ná féadfadh sí sinn a sheasamh a thuilleadh. Le méid m'áthais ritheas go dtí an teach tábhairne. Léas do chailín an chuntair bailéad in óglachas a bhí déanta agam ag moladh a súl, agus cé gur aimsir chogaidh atá againn rith liom a mhealladh uaithi buidéal neamhbhearnaithe den tseanbheathuisce. Níor mhórtasaí Cú Chulainn lena churadh mhír ná mise ag teacht abhaile. Bhí a fhios agam mo chara sa tuaisceart, an tOllamh Maoileoin mac Urmhíne, a bheith á scóladh le tart, agus ba mhór liom comaoin a chur air. Dhéanfadh Caitríona an teachtaireacht, mar dá olcas í d'fhéadfá seasamh uirthi in aghaidh na bhfear custaim. Chuir sí an buidéal órga i bhfolach ina trunc, dhaingnigh an glas, agus ansin, i ngan fhios do gach éinne ach don scáthán, chuir an eochair ar ribín istigh ina hucht.

Bhíos sásta agus shuíos ar bhloc chun roinnt línte a chur leis an eipic atá le fada idir lámha agam. Shín sise ar an tolg agus níor tháinig stad uirthi ach ag caint, ag caint, liom. Cé séidfí chugainn isteach ach an Luasach cabanta. Dhún sé an doras de phlab ina dhiaidh mar a bheadh namhaid amuigh. Stán sé go scanraitheach isteach sa tseomra. Bhí an hata imithe siar ar a cheann, scannán cúir ar a bheola agus coinneal ar dearglasadh ina dhá shúil. Bhéic sé de ghlór folamh :

' Deoch ! Ar son Dé, deoch ! ' Plup ! Titeann Caitríona ar an urlár. Éirím féin agus gheibhim gloine agus cupán. Líonaim iad araon le huisce. Steallaim an gloine ar aghaidh na mná agus sínim an cupán chun fir an tarta. Blaiseann sé agus fágann uaidh ar an mbord. Níl sé grámhar liom ach tagann feabhas air. Musclaíonn fuacht an uisce Caitríona agus éiríonn sí.

' Gabhaim pardún agaibh a fheara, ach shíleas gur sa bhaile a bhíos agus gurbh iad siúd a bhí ag teacht.' Taitníonn a caint leis an Luasach. Tagann sé idir mise agus í, a dhroim liom. Leagann sé de a hata.

' Gabhaimse do phardún a bhean. Dá mbeadh fhios agam gur tú a bhí ann, ní baol go gcuirfinn scanradh ort.

' Preit ! Ní scanradh a chuirfeadh aon Chiarraíoch spadánta ormsa. Admhaím gur baineadh preab asam. Shíleas ar feadh meandair gur thuaidh sa bhaile a bhíos agus go raibh amhais an rí sa tóir arís ar bhuachaillí líofa na raidhfilí.'

' Labhair ar raidhfilí liomsa a bhean. Níl aon ní a bhaineann leo nach eol dom.'

' Ar deireadh thiar thall ! Le deich lá táim ag tóraíocht

Chiarraígh a bhí amuigh. Ach tá siad iontach gann. Deamhan duine go dtí tú féin a raibh faic le maíomh aige.'

' Ní féidir liomsa a shéanadh a bhean chóir. Bhí mé amuigh, gunna ar mo ghualainn isló, piostal faoim philiúr istoíche, nuair bheadh an piliúr agam — '

' Buíochas mór le Dia ! Dar ndóigh bhí fhios agam go raibh fir i gCiarraí a sháraigh óglaigh dheisceart Éireann uile, agus a bhí incurtha ar shlí le gaiscígh Uladh. Ach ó tháinig mé aduaidh fuair mé go raibh a lán den tsaghas eile anseo chomh maith. Dá mba dhóigh liom gur dhuine de na fíorthrodairí tusa thabharfainn duit gloine lán den bheathuisce is fearr déanamh agus dath.'

' Tá greim brád anseo orm a bhean chóir, agus cait in úll mo scornaí. Tá scarbhach na mbó im chraos a bhean, agus mo theanga borrtha mar bheadh neascóid.'

' Más mar sin atá ná déanfadh an braon cruaidh tairbhe dhuit ? Ar mhaithe le Caitlín ní Uallacháin a chaillis do shláinte ní foláir ?'

' Och a bhean ! Ní fiú trácht air. Bhí a lán eile a rinne oiread liomsa. Bhí Mícheál ó Coileáin agus Cathal Brugha agus—sea, ó Coileáin agus Brugha.'

' Scothbheirt ! Scoth-thriúr ! Ar ghrá t'oinigh, a Chú na Banban, suigh fút agus eachtraigh do chuid eachtraí. Ó thús deireadh, mar ná féadaim mo sháith den chineál seo a chlos.'

' Tá go maith, más ea. Ón uair nach foláir leat é neosfad eachtra bheag gairid. Ach is baolach go loitfead san insint é ; ní fear cainte mé.'

' Is iontach an duine tú ! Ach fan anois go bhfaighidh mé rud duit a bhogfaidh do theanga.'

Tugaim féachaint uirthi. Féachann sise go millteach orm, mar a bheadh sí a rá : ' Níl croí circe ionat'. Éiríonn sí den tolg chomh héadrom le dlaoi clúimh éan. Seolann sí ar fuaid an tseomra, taobh thiar de dhoras an chófra. Sáitheann sí lámh síos ina hucht agus tugann léi eochair. Osclaíonn sí an trunc agus tarraingíonn sí amach buidéal. Mo bhuidéalsa ! An scoth bhuidéil a bhí faighte agam don Ollamh Maoileoin mac Urmhíne, fear gur mór agam comaoin a chur air. Fáisceann an Luasach a chóta báistí go teann ar a ioscaidí agus cuimlíonn a bhasa dá chéile. Líonann sí gloine coimhíoch dó, cupán bainne gabhair di féin, agus tugann cúl a droma liomsa. Cuireann an Luasach an deoch chun a bhéil gan aga thabhairt d'éinne sláinte a ghlaoch. Imíonn a hata siar ar a cheann ar chuma gur mór an t-ionadh cad a choinn-íonn gan titim é. Caitheann Caitríona í féin ar an tolg.

' Ná bíodh cúthaileacht ort anois,' ar sise, ' ach inis na gníomhartha gaile agus gaisce díreach mar a tharla siad.'

' Ba dhochma croí an té a dhiúltódh tú a bhean uasal. Sea, bhí luíochán ullamh agam féin agus ag na buachaillí i gcoill an Chruacháin thuas anseo, agus—duit féin amháin a neosainn é—mise a bhí i gceannas. Dhá lá agus dhá oíche a chaitheamar ag feitheamh agus ag faire, gach duine ina ionad ceart féin.'

' Mná an Chumainn ag tabhairt lón bídh chugaibh.'

' Deamhan greim.'

' Ó mo náire iad óinseacha na Mumhan ! Dá mba thíos againne a bheadh sibh ! Geallaim nár fhágamarna riamh ocras ar aon fhear agus é ar fianas.'

(*Fuaim ghloine á líonadh*).

' Seo, bíodh braoinín eile agat. Ní braithfear as an mbuidéal é. Ach lean ort.'

' An tríú oíche d'ordíos don chuid eile dul abhaile chun rud éigin a dh'ithe agus a dtuirse a chur díobh. D'fhanas féin im aonar ar an bhfód. Bhí orm dealga sceiche gile a chur faoim fhabhraí chun ná titfeadh codladh orm. Ar a cúig a chlog chuala ag teacht iad, lán loraí de Dhú-chrónaigh Chorcaí, an chuid ba mhallaithe—'

' Ó a thiarcais ! ' (*Gloine á líonadh*).

' D'ardaíos mo raidhfil agus lámhachas an tiománaí. D'imigh an loraí sa díg agus léim na fir amach. Luíodar ar chaitheamh liom. Seo chugainn loraí eile.' (*Gloine á líonadh.*) Dhíríos m'inneallghunna orthu agus bhaineas ochtar dá lundracha leis an gcéad raiste.'

' Tar slán ! '

' Mo léan ! Stalcadh an gunna orm, ach rugas arís ar mo raidhfil. Chaitheas, agus chaith cúigear liom ag an am céanna. Goineadh sa ghuala mé.' (*Osna ; gloine á líonadh*). ' Huth ! Coinnigh do lámh agus ná doirt. Dá mbeifeá im theanntasa an lá úd, níorbh ionadh critheán a bheith ionat. Ní raibh le déanamh agam ansin ach mo ghunnán a ghreamú sa láimh chlé. Leagas an fear tosaigh agus seisear eile ina dhiaidh do réir mar thángadar. An fhaid a bhíos ag líonadh arís dhún an chuid eile isteach orm. Ghlaodar orm géilleadh ach is é a rinneas an bheirt ba ghaire dhom a shíneadh le stoc an ghunnáin. Léim ochtar ar mo mhullach agus shuíodar in airde orm. Cheanglaíodar le hiarnaí mo lámh fhónta agus caol mo dhá choise.' (*Fuaim bhuidéil ar ghloine.*) ' Seachain agus

ná déan an diabhal ! Féach, scaoilfidh mé féin amach é.
Do shláinte a bhean uasal ! Sea, cuireadh cúirt mhíleata
orm ar an láthair sin agus daoradh chun báis mé.' (*Pusaíl
ghoil*).

'A fhir bhoicht ! Is iad—na Ciarraígh—an mhuintir
is fearr in Éirinn. Líon arís ! '

'Sláinte agus saol chugat a bhean chroí ! Sea, bhíos
daortha acu, ach mheasadar ar dtúis eolas a bhaint asam.
Ghabhdar orm. Thairgeadar breab agus fiche dhom.
Thriaileadar cleas na bhfáisceán liom. Ach pé droch-
chor a thabharfaidís dom ní sceithfinn. Sa deireadh bhris
ar an bhfoighne acu agus chuireadar suas leis an bhfalla
mé. (*Gloine á líonadh*). Do shláinte arís a bhean chóir !
Chuireadar cúig piléaracha tríom ucht.'

'Tríd ucht gleoite ? Ó na barbaraigh ! '

'Ach tháinig an dochtúir, an duine galánta, agus
stóinsigh sé an fhuil. I gceann seachtaine bhíos chomh
dian agus a bhíos riamh ag troid ar son na hÉireann.'
(*Buidéal á thaoscadh*.)

D'fhéach an Luasach timpeall air go haireach. Bhí an
banlaoch ar an tolg agus í gan aithne le barr goil. Ní
raibh aon bhuairt uirthi, ámh, i dtaobh m'oíchese a bheith
curtha amú ón eipic agus gan dá bharr agam ach an
buidéal breá, an scoth bhuidéil a bhí i dtaisce agam don
Ollamh Maoileoin mac Urmhíne a bheith diúgtha ag
amhasóir. Agus dá bhfeicfeá an Luasach ag imeacht !
An coisín díreach a bhí faoi. An siúl ar nós cuma liom !
An aghaidh bhreá shoineannta neamhurchóideach ! Agus
an chuma neamhthuiseach a thug sé stracfhéachaint sa
trunc le súil go mbeadh comrádaí ag an mbuidéal ann !

Mar dhíoltas air chuirfinn san eipic fós é, i gcló sionnaigh nó easóige. Chuirfinn Caitríona féin ann i gcló—ach tháinig fear an tí isteach agus níor rith liom oiread agus aon líne amháin a chur le chéile. Conas a fhéadfadh na Béithe lonnú i seomra ina gcloisfidís :

' Cad é an gol seo agat a bhean ? '

' Ag gol a bheadh an bheirt agaibhse chomh maith dá mbeadh aon spiorad ionaibh, ach níl. Laoch anseo in bhur measc agus gan gradam ná onóir aige ! '

' An Luasach, dar mo leabhar ! '

' Cá bhfuil an greann ? '

' Is dócha gur inis sé dhuit an cor a fuair sé sa choill seo thuas.'

' Dá mba tusa a chífeadh an loraí úd ag déanamh ort ní ag gáirí a bheifeá.'

' Chonaic mé an loraí sin ceart go leor.'

' Agus ní tháinig tú i gcabhair air ! '

' Conas a fhéadfainnse teacht i gcabhair air ? Dúchrónach ab ea mise.'

' Fágfad ! Fágfad ! Fágfad an áit mhallaithe seo láithreach ! Ba chóir go dtuigfinn cad a bhí bun os cionn leis. Teach Dúchrónaigh ! Uch ! '

' Mise a ghaibh an Luasach.'

' Tusa féin ! Tréas— '

' Shuíos in airde air faid a bhí an chuid eile á cheangal.'

' Shuís in airde air ! '

' Bhuaileas cos ar a mhuinéal agus d'fhiafraíos de, in ainm an Rí, cá raibh a chomrádaithe.'

' Níor inis sé, níor sceith sé, mo laoch cróga ! '

' Ansin chuireamar ina sheasamh le falla an bhóthair

é.'

' Agus lámhachabhair é ! '

' Lámhachamar é.'

' Chuireabhair cúig philéar ann ! '

' Cúig philéar go díreach mhuise.'

' Ó na croíthe dochta gan taise ! '

' D'fhágamar inár ndiaidh faon marbh é.'

' Ach d'éirigh sé arís, nuair a bhí sibhse imithe.'

' D'éirigh.'

' Nárbh iontach an fear é, tar éis an marú agus an lámhach go léir. '

' Lámhach neamhdhíobhálach ab ea é airiú ! Ag déanamh pictiúirí tá a fhios agat, an 'Dawn.'

AN ROTHAR BEANNAITHE

Ó CÁID MHÓR san amharclann is mó i mBaile Átha Cliath agus gach aon tsuíochán lán. Beirt lúithirí Spáinneacha ar an stáitse. Iad go codlatach, ag seasamh ar a lúidíní, ag dul ar crochadh óna gcluasa, duine acu go mall meirbh ag preabarnaigh ar shrón an duine eile. An slua ag glacadh anáile agus ag coigilt a ndíograise. Chríochnaigh an bheirt, agus bhuail ógánach anseo agus ansiúd bos dóibh. Níor leor an gleo sin ámh chun iad a dhúiseacht. I mbaclainn a chéile d'imíodar den stáitse. Chuaigh na soilse as. Ach lasadh soilse eile láithreach. Chorraigh an slua go follasach. Chuireadar uathu milseáin agus dhíríodar iad féin. Tharraingíodar a gcosa fúthu. Ansin ó cheann ceann an halla d'éirigh siosma tnúthánach. Chroith an brat stáitse agus chuaigh na soilse as arís. Las aon tsolaisín amháin i lár baill, agus phioc amach an bolscaire a bhí go cruinn ar an spota.

'Anois a chairde, cuirimid os bhur gcomhair, go pearsanta—ciúnas neomat len bhur dtoil—cuireann an amharclann stairiúil seo os bhur gcomhair, trí dheamhéin Ró-Roth Teo., an réaltóg scannán is mó agus is gile i bhfirmimint Chalifornia, an phéacóg is uaisle i gcrainnte Hollywood, an leannán a chuireann líonrith ar chroíthe Chnoic Bheverly, ár gcailín chumainn féin, Peig ní Phlámúir— ! ! ' Cé go raibh sé ag neartú a ghutha i dtreo an deiridh, agus cabhair an mhaidhc leis, ar éigin a chuala sé é féin. Mar ar theacht chun na bhfocal draíochtúla úd, Peig ní Phlá—, phléasc toirneach ar fuaid an halla. Buaileadh bosa agus greadadh bróga go raibh an t-urlár uile ar crith. Agus tríd an tormán deamhnaí tháinig glór na ndéithe go glé ó na fraitheacha thuas : ' Peig, Peig, Peig, ní, ní, ní, P, H, L, Á, M, Ú, I, R, P H, L . . . . '

Ní Peig a thugadh éinne ar Pheigín ní Bhriain ach Peigí nó Peigseach. Mar sin féin ba bhreá léi an t-ainm a bheith á glaoch. Chuaigh an smaoineamh sin in achrann inti chomh láidir go bhféadfadh sí a chreidiúint gurbh uirthi féin a bhí an t-éileamh buile. D'fhan sí gan bos a bhualadh ná liúireach. Bhí an radharc ag leathadh uirthi le cúthaile thacair.

Damhsóirí fear agus ban ag teacht ar an stáitse agus ag tógaint ionad. An máistir ceoil ag luascadh a bhaitín go meanmach ach níor chlos nóta ón mbuíon. Ag an am ceart thug an bolscaire a chúl leis an slua. Sheas sé go hard leabhair agus shín é féin i dtreo na taoibhe clé. Mar Mhaois éigin ag taispeáint Tír na Tairngire dá chine, shín sé a dhá láimh uaidh amach i dtreo na sciathán. D'iompaigh gach rinceoir mar an gcéanna agus hardaíodh na lámha uile i dtreo na Tairngireachta. Chuaigh an slua le gealaigh. Liúigh míle cúig céad scornach ar lánteannadh. Coinneal i dtrí mhíle súl agus iad uile sáite sa sciathán sin ar chlé. Agus fuaireadar sásamh. Scaoth de dhamhsóirí ar tosach agus iad gléasta mar bhéithe coille. Ribín de shíoda uaithne ag teacht i ndiaidh gach éinne acu. Ansin seisear déithe coille, triúr ar gach taobh, agus iad ag tabhairt tacaíocht do—'ní gá í chur in aithne d'éinne, bíonn a pictiúir chomh minic sin sna hirisí.' Bhí sí ina suí go maorga ar rothar iontach geal gorm agus bán. Bhí a bróigíní cumtha leagtha go héadrom ar na troitheáin, agus an cúnamh ribíní á tarraingt gan stró. D'ardaigh sí lámh amháin ar feadh meandair agus chaith póg síos uaithi. Chuaigh an slua le báiní. Raideadh lámha, hataí, boscaí folmha seacláide san aer. Ba bhaol do na fallaí. Bastún mór buachalla oibre ón tuaith a bhí os comhair Pheigí, lig sé fead glaice. Chuir an gníomh sin déistean uirthi. Cad a mheasfadh an Réaltóg de Bhaile Átha Cliath chor ar bith ?

Chuaigh meadhrán ag snámh trí cheann Pheigí arís, agus cheap sí gur ar an stáitse a bhí sí. Bhí gúna caolleabhair gorm uirthi agus fleasc rós gan smál ina hucht. Bhí sí ag marcaíocht ar rothar iontach a raibh fráma gorm ann agus gardaí caola bána. Bhí scuainí rinceoirí timpeall uirthi agus iad á socrú féin i gcaoi go raibh ' Ró-Roth Teo.' scríofa acu lena gcabhail agus lena ngéaga. Radharc álainn, agus ba í féin lár na háilleachta. Agus ina dhiaidh sin ní raibh sí uaibhreach ach maorga croíúil. Gean a n-anama ag an slua di, agus ansin, ligeann an bligeard bústa ón tuaith fead. Titeann sí . . . .

I seomra na gclócaí a tháinig sí chuici féin agus giollaí ag caitheamh uisce san aghaidh uirthi.

Ceann de na radharcanna is deise i gcomharsanacht

Bhaile Átha Cliath is ea Bóthar Dhún Droma maidin Domhnaigh sa tsamhradh. Aer glan, crainn arda, fallaí beaga agus radharc ar iolshaibhreas na bpáirceanna. Ach ní haon cheann acu sin an ionadh mhór ach óige na cathrach ag teacht amach ar na rothair. Ina mbeirteanna agus ina gceathrair a bhíonn an chuid is fásta acu. Na fíorógánaigh ina gclubanna fiche agus breis. Léinteán agus bríste éadrom ar gach duine acu, a n-uilleanna nocht, a gceann agus a gcabhail cromtha chun gaoithe a ghearradh. Is éachtach an luas a dhéanaid i gcoinne an aird. Chuirfeadh sé scanradh ort an turraing a bhíonn sna géaga loma caola, sna coim chaola chrua. Bíonn siad uile chomh fuinniúil le chéile agus iad ag teacht, drong i ndiaidh droinge ar feadh mórán uaireanta a chloig. Fúbún, fúbún dearg fúibhse a amhlóirí adeir go bhfuil ár gcine ag meath. Go deimhin éinne a chaithfeadh tosach lae ar bhóthar den tsaghas seo adeirim, níor thógtha air a rá gur ag breith sláinte agus nirt leo chun na gcnoc agus go dtí an fharraige a bhíonn an t-aos óg agus nach ag tóraíocht sláinte.

Is iomaí aghaidh dhóighiúil a chífeá i measc lucht na rothar. Maidir leis na mná, tugann saothar na marcaíochta loinnir ard ina scéimh. Is fán loinnir sin a chonaic Peigín í féin sa dara taibhreamh a rinneadh di. Bhí, cheap sí, *jeans* gorma uirthi ag freagairt do fhráma an rothair. Bhí rós úr gairdín ina hucht agus na duillí á gcrapadh ag an ngaoith. Cé go raibh an cnoc ina coinne bhí sí ag imeacht sna feire glinte, na boinn chaola ag déanamh ' síoc ' ar an teara agus spócaí an rotha ag rith isteach ina chéile. Na fonsaí chomh fíor, chomh glan ná feicfeá ag casadh

ar chor ar bith iad, ach an mac gréine ag taitneamh astu
i gcontúirt tú a dhalladh . . . . Ansin ligeann an buachaill
tuaithe fead. Is ródhóbair do Pheigín titim. Féadann an
chuid eile dul ar aghaidh agus is cuma leo. Fágtar Peigín
i dtaobh le luaithrigh ina béal.

An tríú uair a tháinig an meadhrán uirthi bhí sí ina
háit féin sa leaba i lár an lae ghil. Ní raibh istigh ach a
máthair a bhí ag tabhairt aire do sháspan ar an ngás. Ní
raibh an sorn ach cúpla slat ón leaba agus bhí caoi ag
Peigín bheith ag caint lena máthair agus á ceistiú.

'Lig dom a leanbh, i gcuntas Dé lig dom!' arsa a
máthair go giorraisc, agus thug aghaidh ar an sáspan.
Bhí liopa teasaí ar an mháthair agus bhí a súile tuirseach.
Ní fhaca Peigín iad ach cheap sí go raibh an bheirt acu
ag comhrá go soineannta . . . .

'Ní ligfidh tú do Shéamaisín bheith in airde air;
brisfidh sé é cinnte.'

'A Mhaimí, nuair chífidh Daidí mo rothar sa tseomra
roimhe beidh sé ar buile. Déarfaidh sé linn an 'seanrud
sin' a thógaint as a radharc.'

'Is cuma liom a Mhaimí, is cuma liom, is cuma liom!'

'Féadfaimid an rothar a chur in airde ar an leaba,
agus ansin ní bheidh sé ag teacht sa tslí ná sa tsolas ar
éinne.'

'Ach caithfimid Séamaisín a choinneáil amach uaidh,
caithfimid a Mhaimí, caith—a Mhaimí! Conas a thabhar-
faidh mé an rothar aníos na staighrí ar chor ar bith? Athair
Neansaí Bhranach a thugann a rothar aníos dise, ach ní
dhéanann Daidí seo againne aon teasc den tsaghas sin.'

' A Mham, bhí mé á thabhairt aníos mé féin, bhí mé ag na céimeanna deireannacha, nuair lig an buachaill tuaithe fead ! Tá mo rothar breá ina smidiríní thíos ar— '.

D'fhéach an mháthair thar a guala ar a leanbh. Chonaic sí go raibh coinneal sna súile agus saothar beag ar an anáil. Chuir sí uaithi a cuid oibre. Go cleachtaithe bhain sí an piliúr faoi cheann a hiníne agus shocraigh fána cosa é. D'fhan sí gur shuaimhnigh an t-ucht beag. Ansin chuaigh sí ar ais go dtí an sorn, an rian is lú corraí croí uirthi.

AN MAC LÉINN TALMHAÍOCHTA

BHÍ GUTH ÍSEAL an ollaimh oideachais chomh marbhánta leis an aimsir amuigh. Buanmhonbhar a bhí ann mar bheadh crónán beiche traochta. Ní raibh drud eile le clos sa tseomra ach anois agus arís scríobadh ó pheann mná rialta sna binsí tosaigh nó duine den ghasra i lár baill ag múchadh osna. Sa bhinse deiridh ar fad a bhí an craobhshnámhaí go caothúil ciúin ag líomhadh a ingne. Aon duine amháin eile a bhí sa bhinse sin ina theannta, an mac léinn talmhaíochta, a leaca ar a bhois agus é, adéarfá, i measc na ngamhan agus na gcapall treafa. Bhí an bheirt seo i bhfad as raon gutha an léachtaí. Go deimhin, an t-oide meánaosta a bhí ceithre binsí rompu amach bhí a mhuinéal sínte chun tosaigh aige gur chuma é nó *giraffe,* agus gan dá bharr sin fós aige ach go gcuala 'modhanna' cúpla uair agus an ainm 'Montessori.'

D'iompaigh an t-ollamh i leataoibh beagán go raibh a aghaidh ar aon bhean rialta amháin a raibh súile beo aici—an t-aon mhac léinn sa rang go raibh de mhisneach aici ceisteanna a chur i dtaobh pointí eolais ná tuigeadh sí. Ansin lagaigh a ghlór tuilleadh go dtí ná raibh ann ach cogar agus é dírithe ar an éinne amháin, cogar a d'ísligh diaidh ar ndiaidh gur chuaigh in éag thíos i mboinn a bhróg. Stad na mná rialta den tsíorscríobh. Ní shamhlófá ar an láraicme go raibh aon athrú ann ach tharraing an t-oide meánaosta siar beagán ag tabhairt sosa dá shlinneán. Bhí an craobhshnámhaí ag líomhadh a lúidín clé agus fear na talmhaíochta fós i dteannta a thaibhrithe. Rinne duine éigin méanfach.

'Beidh beagán *ábhachta* anois againn mura miste libh é,' arsa an t-ollamh. Bhí iarracht de ghéire mhíchéatach ina ghlór a bhain preab as an láraicme, agus a shroich an binse deiridh i dtreo gur coisceadh uirlis na n-iongan. Chlaon an craobhshnámhaí i leataoibh agus thug priocadh dá chompánach. Tháinig dhá chnapshúil air sin de gheit. Ar deireadh thiar bhí rud éigin le titim amach sa rang seo !

Tharraing an t-ollamh birtín donn as a mhála agus chuir ar an mbord roimhe amach é. Bhí athrach lí ag teacht ar a aghaidh le saghas cúthaile. Go mall tútach d'oscail sé an páipéar agus nocht braisle de chloigíní beaga. Bhí a raibh de shúile sa rang um an taca seo á dhianfhaire ; iad lán de shuim agus de chíocras chun eolais. Do thóg an t-ollamh casúr beag agus bhuail cúpla nóta ceoil ar na cloigíní—buillí éadroma neamhealaíonta. Scaoil sé uaidh an casúirín.

'Tá sé feicthe anois agaibh ; sin an méid atá ann—a iarraidh ormsa agus ar dhaoine dea-mheabhracha mar sibhse—d'fhéadfadh éinne gléas dá chuid fhéin a cheapadh a bheadh díreach—nuair is aigne páiste óig a bhíonn i gceist bíonn trácht i gcónaí ar na céadfaí oiliúint ach dar ndó— ' Do réir a chéile bhí sé ag sleamhnú siar sa chath-

aoir agus a ghuth ag ísliú go raibh an sean-nóta sroichte
aige. Go hobann chuir an bhean rialta anamúil isteach
air.

' Conas díreach úsáidtear na cloigíní seo ? '

' Ó sea ! An bhfaca aon mhac léinn a leithéidí cheana ?
Bhfuil éinne thabharfadh buille faoi thuairim ? '

Níor tugadh caoi freagartha d'éinne de na caighdeáin
mór-le-rá sa chéad bhinse go raibh súil an ollaimh ag
dul ó dhuine go duine orthu. Phléasc cnag millteach
ordóige ón mbinse taobh thiar. D'iompaigh gach éinne
timpeall. Bhí géag fhada in airde ag fear na talmhaíochta
agus é á suathadh mar dhéanfadh páiste aibidh i scoil
náisiúnta. Bhí an lámh eile agus a mhothall dubh ag
folachadh a shúl agus a aghaidh úrshnóch.

' Bhuel, a Chinnéidigh ! ' Sheas an buachaill suas, gáire
leithscéalach ina bhéal agus a ghuaille scafánta ag sníomh
agus ag snadhmadh.

' Bhuel, a Chinnéidigh ? ' An turas seo bhí an t-ollamh
beagán bagarthach. Bhí sileadh súl á thabhairt ag an
mbuachaill ar fuaid an ranga féachaint conas a bhí an
scéal á thógaint ag an gcuid eile.

' A Chinnéidigh ! ' Mura bhfuil tú— ' Thuig an
buachaill go raibh sé ar a thriail. Anois nó riamh.

" Tá siad i leabhar agam sa bhaile leabhar a chuir
m'uncal chugam ó Mheiriceá.' Scig-gháire anseo agus
ansiúd sa rang.

' Ní bheadh aon ionadh orm. Leanann na Meiriceán-
aigh an nós nua i ngach aon rud, cuma é bheith fiúntach
nó gan a bheith.'

Bhí an t-ollamh sásta leis féin. Bhí sé ag déanamh *nota*

bene istigh ina aigne i dtaobh an phointe breise fianaise a
bheadh aige don tsíorargóint a cothaítí i seomra na róbaí :
' An raibh an ceart ag lucht cáinte Dhomhnaill uí
Chonaill, ar mhór an méala é oidhreacht na nGael a chaill-
iúint, agus ar chóir áit a thabhairt don talmhaíocht ar
chlár iolscoile ? ' Gnéithe éagsúla den cheist cheanann
chéanna iad sin go léir dar lenár n-ollamh agus bhí sé
díreach ar tí leanúint leis an léacht nuair chuimhnigh sé
go raibh caoi aige tuilleadh lóin a sholáthar don chogadh
briathrúil.

' Bhuel, a Chinnéidigh uasail ? ' Bhí a ghlór chomh
caoin le leathar bealaithe. ' An dtoileofá insint dúinn cad
a bhí sa leabhar . . . . ? '

' Scéal a bhí ann ? ' Gáire láidir ón láraicme.

' Na cloigíní seo, cad dúradh ina dtaobh sa leabhar
úd ? ' Bhí ciúnas mór sa rang.

' Bh—bhí an bheirt bhoc seo agus bhíodar ag dul ag
iascaireacht eascon.' Do léim an craobhshnámhaí as a
shuíochán, do liúigh an láraicme, agus más iad na mná
rialta féin iad, thaispeáineadar a ndéad sciomartha.

' A Chinnéidigh.' Tugaim rabhadh dhuit. Ní triailfir
aon scéal magaidh anseo nó is duit féin is measa. Cad é
seo in aon chor ar siúl agat ? Tabhair dúinn an scéal más
é do thoil é gan aon réamhrá.'

Aon uair amháin cheana a rugadh ar an gCinnéideach
ag caint go poiblí. B'shin é an uair a mealladh é chun a
ainm a chur síos do dhíospóireacht a cuireadh ar siúl i
gCumann na Talmhaíochta. Ní go rómhaith d'éirigh leis
sa choimhlint sin ach fuair sé amach gur mór an dearmad
suí síos roimh dheireadh an ama mar go dtugann sin an

bhua don taobh eile. Mar sin, an turas seo, lean sé air go diongbhálta, rún daingean aige gan ligint d'éinne ná d'aon rud cur isteach air.

' Bhí an bheirt bhoc seo agus bhíodar a dul ag iascaireacht eascon.'

' B'fhearr— '

' San áit a rabhdar bhí plúncanna adhmaid i leath na cé, leatroigh idir gach dá phlúnc, agus is síos eatarthu a scaoileadh an bheirt bhoc an baoite.'

Bhí fáth searbhasach gáire ar aghaidh an ollaimh. Ba mhór an masla é ina rang féin ach nach milis an sochar a bhainfeadh sé as i seomra na róbaí. *Lout !* Aitheach tuaithe ! Péasún ! Sa rang agam féin !

' Go maith a Chinnéidigh,' arsa an snámhaí i gcogar. Ní raibh fhios ag an gcainteoir nach ag an díospóireacht a bhí sé arís—an díospóireacht úd a thug sórt straidhn air.

' Bhí an t-uisce sa chuan donn-salach mar bhí tochailt ar siúl taobh thuas díobh agus bhí eascoin ar thóir bídh go tiubh ann. Ocht ndorú ar fad a bhí ag an mbeirt bhoc agus mharóidís iasc go tiubh ach go raibh an donas orthu le leisce. B'fhearr leo riamh luí síos fán ngréin, bascaed buidéal agus oighir eatarthu, ná bheith ag faire doraithe. An lá seo chuimhnigh Ottí ar sheift. Bhí sé siúd mór le máistreás scoile agus chonaic sé aici ocht gcloigíní mar iad sin. Thug sé leis iad agus chuir sé clog ar gach dorú. Shín sé buidéal fionnuar beorach chun Buddí, thóg dhá cheann é féin agus luigh sé siar ar an taobh eile den bhascaed.'

' A Chinnéidigh, bhfuil taithí agatsa ar bhéaloideas ? '

'Béaloideas ! Níl aon taithí agam air ach tá's agam cad é féin. Thagadh seanchrandúir chun m'athar sa bhaile ag scríobh gach aon tsórt ráiméise uaidh.'

'Tuigim. Ba dhóigh liom sin.'

'Ar aghaidh leis an scéal,' a chogair an snámhaí.

'Ní raibh ach leathbhuidéal ólta ag an mbeirt nuair a bhuail ceann de na cloigíní *ding*— '.

Gáire on rang.

' " Éirigh a Bhuddí agus tarraing isteach í siúd."

' " Éirigh féin ! Is tú a chuir suas na cloigíní." Bhuail ceann eile, *dong*—

' " Brostaigh, a Bhuddí, sar a mbrisfidh sí greim."

' " Brostaigh-se féin, a Ottí."

' " Brostaíodh an bheirt againn, ceann an duine," arsa Otti ag éirí. Rug Buddí ar chuislinn air.

' " Fan." Ansin chuala siad morán *ding* agus *dong* i ndiaidh a chéile.

' " Éist, a Ottí ! Éist ! " Arís chuala siad go soiléir *ding, dong,* an scála síos *d', t, l, s, f, m, r, d,* agus an scála suas arís go cruinn baileach.'

'An chéad bhreac riamh a bhí fírinneach sa scála ! ' arsa an t-ollamh agus tharraing bualadh bos ón rang. Lean an scéalaí air.

'Bhí dúil ag an mbeirt bhoc sa cheol. Luíodar arís ar dhá thaobh an bhascaeid agus thógadar slog eile as na buidéil.

' " Can rócán farraige, a Ottí, féachaint a ndéanfaidh sí tú thionlacan." Sar a raibh uain ag Ottí tosnú sheinn na cloigíní *dong-dong-dong, dong-ding-ding,* an fonn *Maidin i mBéarra.'*

'Eascú Chorcaíoch,' arsa duine den lárghasra. Lig an chuid eile gáir astu agus rinne na fir torann bróg.

'Corcaíoch tú féin,' arsa an tSiúir, sin é fá dear dhuit— '.

'Ní hea! Ciarraíoch, Ciarraíoch, ó Chathair Saidhbhín.'

'Ciarraí, Ciarraí, Cathair Saidhbhín,' do liúigh an gasra lár baill. Labhair an t-oide aosta de chroí dáiríre.

'Pé scéal é ní fhéadfadh eascú ceol a sheinnm ; tá gach sórt éisc bodhar amach.'

'Cad eile fhéadfadh é dhéanamh ? ' arsa an Cinnéideach go dúshlánach.

'Tomadóir Corcaíoch b'fhéidir,' arsa an craobh-shnámhaí.

'Ó sea, sea gan dabht,' arsa an tSiúir mheidhreach.

'Tomadóir, a bhí ag obair sna duganna, cad eile ? ' arsa an lárghasra le chéile. Bhí buaite ar an gCinnéideach. Shuigh sé gan cuimhneamh air féin. Ansin ba mhaith leis éirí arís ach theip an misneach air. Dá ainneoin bhí sé ag deargadh go barr na gcluas. Do réir a chéile chiúnaigh an rang agus d'iompaíodar uaidh. Lean an t-ollamh air.

'Mar a bhí á rá agam i dtaobh aigne an pháiste agus an gá ceaptar a bheith le hoiliúint na gcéadfaí, gan bacaint neomat le Froebel . . . bla-bu-bu-bu.'

AN tINNEALL NUA

BHÍ CORÓIN MHUIRE luath i dteach Shéamais
Mhóir uí Mhuimhneacháin. Bhí aonach le bheith
i Magh Chromtha lá arna mhárach agus níor mhór
dóibh éirí i bhfad roimh lá. Ó bhí na paidreacha chomh
luath sin bhí Colm beag fós ina shuí. Bhí sé ar a ghlúna
le taobh an tsuíocháin agus é ag faire ar a mháthair ag
méarú an phaidrín. Bhí fear an tí i lár urláir agus é
cromtha os cionn cathaoireach. Bhí an fear oibre ag bun
an staighre agus gan smid as. Ógánach ciúin dorcha ab ea
é, agus ó bhí sé i gcogadh na mBórach ní raibh d'ainm ag
éinne air ach ' An Saighdiúir.' An túisce a bhí an Choróin
ráite chuir sé an staighre in airde de. Tar éis scathaimh
bhig d'éirigh Séamas Mór. Chuir sé cnead agus gnúsacht
as. Níor réitigh paidreacha leis na dathacha a bhí ina
cheathrú chlé. Shiúil sé go crapaithe go dtí an driosúr
agus chroch suas an paidrín. Ansin chuir sé lámh i mbarr
an driosúir agus tharraing amach páipéar, *The Homestead*.
Thug sé cathaoir leis go fothramúil anonn go dtí an
lampa. Leathoscail sé an páipéar agus thosnaigh ag
glinniúint air.

D'fhan an mháthair ag guidhe os íseal cois na tine, an
garsún beag lena taobh. Nuair a chonaic sí go raibh a

cholainn bheag á tuirsiú, thóg sí é agus chuir ar an
suíochán. Cé ná raibh a chosa fada go leor chun an urlár
a shroichint choinnigh sé iad gan luascadh i dtreo go raibh
dreach socair stuama air, dóthain breithimh. Timpeall
ocht mbliana a bhí sé, é caol fionn agus beag dá aois.
D'fhan sé gan cor as. Ar deireadh ghearr an mháthair
Comhartha na Croise uirthi féin. Rinne sí arís é, agus an
tríú uair. Ansin d'éirigh sí.

'A Mham,' arsa Colm, 'cathain a bheidh cead agamsa
mo dheichniúr den Choróin a rá ?'

'Tá tú ró-óg fós a dhalta.'

'Ach d'fhéadfainn é rá go breá, tá na paidreacha go
léir agam.'

'Agus tá grá agat dod phaidreacha, ná fuil ?'

'Tá.'

'Tá grá agat do Íosa maith.'

'Tá.'

'Mo ghraidhn mo bhuachaill.'

Ní raibh cluas an athar leis an gcomhrá seo. Bhí
grabhas air os cionn an pháipéir, ag glinniúint ar an áit
chéanna a d'oscail sé i dtosach . Anois agus arís scríobadh
sé an t-urlár leis an gcos chlé agus chaitheadh an chos eile
thairsti. D'éirigh sé go hobann, d'fhill an páipéar go
tútach agus chaith uaidh é. Thug sé rúid chun na tine
agus chuir smól ina phíopa. Ansin gan féachaint ar an
bhean labhair sé :

'Táim chun é thabhairt liom a Nóra, an t-inneall
nua.' Chuir sí pluic uirthi féin. 'Ní thaitníonn sé leat !
Bhí fhios agam gur mar sin a bheadh,' arsa Séamas agus
cochall ag teacht air.

' Cuir uait ! Cuir cosc led theanga ! Ná feiceann tú
aos óg gan peaca id láthair ? ' Rith sí, agus rug ar an
leanbh agus ar a léine oíche a bhí á théamh, agus thug
léi in airde iad. I gceann neomait d'fhill sí.

' A Shéamais,' ar sise go himpíoch, ' ná cuir na comhar-
sain ag magadh fúinn.'

' A Nóra ní Dhuibhir, ní ag magadh a bhíonn na
comharsain faoi dhaoine dem mhuintirse ach ag déanamh
aithris orthu. Nach sinne an chéad dream a chuaigh chun
dlí leis an ridire ? Agus nár leanadar go léir sinn ? Nach
é mé féin, agus mé im gharsún, a thug ó Chorcaigh an
chéad inneall chun tornapaí a bhrú ? Mise chomh maith
a thug an chéad deighilteoir uachtair chun ná beifeása
ag briseadh do dhroma ag bearradh agus ag scóladh
cíléirí. Agus an aon mhagadh a rinne na comharsain
fúm ? Níorbh ea mhuise, ach iad ag éad leatsa agus ag
fáil deighilteoirí iad féin nuair a fhéadfaidís.' Shamhlaigh
sé nár ghá a thuilleadh a rá ach bhí dearmad air. Bhí
féachaint sheasamhach i súile na mná.

' Má fhágann tú an t-inneall seo id dhiaidh beidh Dia
buíoch díot.' Tháinig alltacht ar an bhfear.

' A Nóra, tá tú anseo ar an urlár seo agam le fiche
éigin bliain. Shamhlaíos gur thuigeamar a chéile, agus
nár ghá focal searbh eadrainn. Gabhann sé trím chroí tú
bheith am chrosadh ar an gcuma seo. Cad tá ag baint
duit in aon chor, in aon chor ? '

'Agus cad tá ag baint duitse ? Ná tógfá breá bog an
saol ? Shamhlaíos go rabhas tar éis a áiteamh ort—'
Bhris sé isteach uirthi :

' Sin é díreach é ! Tógfad an saol go breá bog nuair

164

a bheidh innill agus gléasanna agam chun troime na hoibre a dhéanamh. Ní orm féin amháin atáim ag cuimhneamh ach ar Cholm. Féachfadsa chuige ná beidh le déanamh choíche aige ach giollaíocht chapall. Dar ndóigh ní bhfaighfeá locht air sin.'

' Éist ! Cad a bhéarfadh do Cholm bheith ag giollaíocht chapall ná ag gabháil do ghléasanna ? Tá a fhios agam cad atá bun os cionn leis an teach seo ; níl aon rath air ó thugais isteach an Saighdiúir thuas, ainchreidmheach ná taithíonn an altóir.'

' Ná tuilleann sé a pháigh go macánta, agus an fhaid a bheadsa im mháistir ar an teach seo ní cheadód cur isteach ná amach air i dtaobh paidreacha, ach ligint dó déanamh mar is toil leis féin.'

' Ó go bhféachfaidh Dia orainn, tá tú féin chomh holc leis,' ar sise, agus thosnaigh sí ag bailiú paidríní. Chroith Séamas a cheann agus chuaigh faoi dhéin an staighre go bacach. D'iompaigh Nóra chun an tine a choigilt. Ar éigin a bhí aon tine ann. Chuir sí fóid dhubha timpeall uirthi. Ansin, rud nach ndearna sí riamh cheana, chroch sí an citeal os a chionn. Bhí sí ag guidhe go brónach chuici féin. Stad sí i lár paidre go ndúirt :

' Tá mallacht ar an teach seo, mallacht ! '

Tráthnóna lá arna mhárach tháinig Séamas abhaile ón aonach go luath agus an t-inneall aige. Léim sé den chairt go hanamúil gan cuimhneamh ar an gceathrú leochaileach. Seo faoina dhéin an Saighdiúir. B'é dóthain na beirte an t-inneall mór a thógaint den chairt. Leagadar ar an talamh é go héadrom ceanúil. Shiúil Séamas

timpeall air. Bhí snas daor ar an gcara adhmaid, péint
dhearg ar an bhfráma agus péint ghorm ar chinn na
mboltaí. An rud ba bhreátha ar fad an lann gheal
chruaidhe ag glioscarnaigh faoin ngréin. Tháinig Nóra
amach as an scioból. Thug Séamas cúpla coiscéim ina
treo, aoibh mhaíteach air.

'Cad a mheasann tú de?' Níor thug Nóra aon
fhreagra. Gach re seal d'fhéachadh sí ar an inneall agus
ar dhorn ubh a bhí i mbascaeidín aici.

'Ní thiocfaidh aon mheirg air sin go brách a Nóra.
Féach a ghéire atá an lann. Triail led mhéir í a Nóra.'
Ach ní raghadh sí níba ghaire dhó. Thriail sé féin arís
le aghaidh a ordóige.

'Á, ní miste faobhar a thabhairt air. Fág faoi na
Francaigh é. Pierce i Loch Garmain a rinne é a Nóra,
féach an t-ainm anseo agus anseo.' Stad sé go nglacfadh a
bhean páirt bheag éigin ina mhórtas.

'Na capaill bhochta,' ar sise, 'conas a tharraingeoidh
siad é? A leithéid de churachán iarainn? Maróidh sé
iad.' D'iompaigh Séamas uaithi agus dhorchaigh a
chuntanós.

'An láirín a bheith ró-anamúil, sin é an chuid is measa
de. Ach thiomáineas go maith géar ón aonach í chun
cuid den teaspach a bhaint di. A Shaighdiúir, tabhair
mám coirce don tseanchapall. Scoir an láirín. Déanfaidh
sop féir a gnósan. A Nóra, bhfuil an citeal beirithe.
Ná trácht liom ar dhinnéar mar tá an lá ag imeacht agus
gnó gan déanamh.'

I gceann leathuair an chloig d'éirigh gliogram an innill

i bpáirc an tsíl féir. D'imigh préacháin agus cága ar
guardal san aer agus sceon iontu ag an ngleo. Níor lú
an sceon a cuireadh ar chomharsain thall ar Leaca na
Muc. Stadadar de bheith ag tanú tornapaí agus shíneadar
sna claiseacha ag faire. Níor thógtha ar an dá chapall é
má tháinig sceit ina gcroí. Ar a cosa deiridh a chuaigh
an láirín timpeall an chéad dá shreath. An seanchapall
bán féin, bhiorraigh sé a chluasa agus chroith a eireaball
á insint cad a dhéanfadh sé ach an lúth bheith ann chuige.
Nuair a gheibheadh sé caoi air, ag gach cúinne, d'fhéach-
adh sé taobh thiar de go fiafraitheach feargach. Bhí an
staidéar sna cnámha aige ámh. Choinnigh sé an láirín ó
dhul le ainrialtacht ar fad. Bhíodh sí sin gach re seal á
ghuailleáil agus á tharraingt, ach ní bhfaigheadh sí é
bhogadh dá raon. Le méid a saothair bhí sí báite le
hallas, agus dath dúdhonn snasta uirthi. D'fhéadfá tú
féin a fheiscint ina cliatháin agus ina mása. Ní raibh
fágtha rua dhi ach a heireaball agus bhí sí ag léasadh an
aeir leis go bagarthach.

'Réidh, réidh a chailín!' adeireadh Séamas léi, agus
dob ard é a liú. Do hairíodh thall ar Leaca na Muc é
agus in áiteanna ba shia ó bhaile. Ar shuíochán an innill
d'fhéach sé níba mhó ná riamh, a cheann caite siar, a
ucht ag borradh. Conchubhar mac Neasa ab ea é ina
charbad cogaidh, agus é ag cur raon madhma ar namhaid.
Agus arís líonadh an gleann leis an rosc catha :

'Réidh a chailín, réidh! An gcloiseann tú mé ?' nó,
'Lean ort a chraiceálaí! Cad a mheasann tú ?'

Tháinig Colm beag faoi dhéin an fhothraim, ach más
ea bhí a mháthair i ngreim láimhe ann. D'ardaigh sé an

lámh eile san aer le háthas. Stad Séamas Mór na capaill.

' Tar i leith a Choilm, tar ag marcaíocht i dteannta Dhaid.' Theann an mháthair chuici é.

' Ní raghaidh, an as do chéill ataoi ? '

' Tar chugam a mhic. Ní bheidh aon bhaol ort. Tá an láirín mínithe agam, tá sin.' Chrom sé agus d'ardaigh sé leis an leanbh. Thóg sé go dtí an t-inneall é agus chuir ina shuí ar a ghlúin féin é. Bhí colpa láimhe an athar chomh téagartha le cabhail an mhic. An t-athair coirtithe buí, agus an mac mílitheach. Ach bhí na súile céanna acu araon agus an lonradh gliondair céanna. Den chéad uair chonaic an t-athair an scáth bainte de sholas na hóige in aghaidh a mhic. Níor fágadh rian den tsollúntacht easpagach.

' Hop a Bháiní ! ' arsa an t-athair.

' Hop a Bháiní ! ' arsa Colm ag aithris air. Timpeall leo go socair séimh. Bhí an láirín mínithe.

' Sin é é, a chailín,' arsa an t-athair.

' Sin é é, a chailín,' arsa Colm. Chuadar araon sna trithí gáirí. Bhí an mháthair ina gallán cloiche ag faire ar a gcuid cleas. Nuair tháinig an t-inneall os comhair mar a raibh sí stopadar. Thóg an t-athair Colm idir a dhá láimh agus thug sé i leith chuici é.

' Anois ná fuil áthas ort go dtángamar slán ? ' ar seisean mar mhagadh. Ní thug sí aon fhreagra ach an garsún a sciobadh léi. Ag gabháil amach thar geata dhóibh d'éirigh le Colm aon stracfhéachaint amháin a thabhairt taobh thiar de.

Obair lae do sheisear spealadóirí an pháirc a bhaint ach bhí sí críochnaithe ag an inneall i dhá uair an chloig.

Agus bhí sí bearrtha go baileach réidh agus díreach chomh lom agus bheadh i ndiaidh na speile.

Ba mheidhreach é Séamas Mór ar a shlí abhaile. Ag geata na hiothlainne bhí braisle de phúróga scaoilte cloch. Rinne an t-inneall gleithireán éachtach ag gabháil tharstu. Ní raibh an láirín marbh amach fós. Spriúch sí agus léim sí. Mura mbeadh a fheabhas a bhí an ghiollaíocht, mhillfeadh sí í féin agus bhuailfeadh sí an t-inneall i gcoinne balla nó claí. Ní raibh caoi ag Séamas a thabhairt faoi deara go raibh duine beag faoin bhfál ag feitheamh leis, an páistín fionn, dúil agus scáfaireacht ina chuntanós glan. Nuair ná faca Daid é b'shin mar ab fhearr leis. Rith sé i ndiaidh an innill ag baint lán a shúl as na hiontaisí gorma agus dearga. Chuaigh sé i ndánaíocht. Chuir sé lámh ar rud éigin gorm. Rith critheán taitneamhach trína bhaill uile. Chonaic sé mar bheadh cnapáin ghorma ag casadh ar mire. Chuireadar eagla air, ach bhuaigh an dúil ar an eagla. Chuir sé aon mhéar amháin orthu. Bhí sin dian. Ar uair na tubaiste bhí log sa bhóithrín agus sloigeadh an lámh síos idir dhá rothán fhiaclacha. Scréach nimhe . . . stopadh na capaill.

'Ó a Thiarna, tá an donas déanta,' arsa Séamas Mór nuair a tháinig sé anuas. B'éigean dó na capaill a chúlú chun an láimhín a scaoileadh. Ag an taobh eile den teach bhí an mháthair ag glaoch in ard a cinn agus a gutha :

'A Choilm ! A Choilm ! Cá bhfuil tú ?' Chuir Séamas Mór lúidín ina bhéal agus lig fead. I gceann neomait bhí an Saighdiúir ag cur an láirín faoin trap. An mháthair ag teacht agus scaird ina súile.

'Bhí fhios agam é, an t-am go léir. Bhí a fhios agam

gur mar sin a bheadh.' Shuigh sí ar an talamh agus theann
sí an páiste léi. Bhí sé ag pusaíl ghoil, an láimhín brúite
sínte uaidh amach. Thug Séamas casóg na mná as an
teach agus chuir thar a guaille é.

'Tabhair leat é a Nóra,' ar seisean go cneasta.

An fhaid a bhí an dochtúir ag obair choinnigh Séamas
an páiste. Bhí Nóra ag paidreoireacht. Trí méaranna a
baineadh anuas. Bhí an dochtúir cainteach.

'Tá an t-ádh leis an lúidín a bheith slán. Ní bheadh
puinn tairbhe san ordóg fhéin gan méar eile ina teannta.
Tá aithne agam ar fhear a bhfuil ordóg agus lúidín aige
mar atá aige seo, agus déanann sé gach rud, gach rud.
Chonaic mé roinnt droch-chásanna lem linn, fíordhroch-
chásanna.'

'Ní bheidh sé ina shagart choíche anois!' a bhéic
Nóra trína guidhe.

Bhí scáileanna liatha ag titim ar sholas deireannach an
lae samhraidh. Bhí cistin uí Mhuimhneacháin ag
dúchaint laistigh. Tháinig Nóra aníos as an tseomra.
Bhí a beola scartha mar bheadh chun labhartha, ach nuair
a chonaic sí ná raibh éinne ann níor tháinig aon fhocal.
Bhí ionadh uirthi mar bhí tráth na Coróineach buailte
leo. Lena linn sin chuala sí coiscéim a fir. D'oscail sé an
doras gan gleo agus bhí sé á dhúnadh arís go ciúin nuair
a chonaic sé an Saighdiúir ar an leac chuige. Choinnigh
Nóra greim ar a teanga chun go labharfaí léi, ach níor
labhradh. Thóg Séamas Mór a phaidrín agus chuadar a
dtriúr ar a nglúna. Amuigh ar an gcrann chuir éan an
tráthnóna gíog nó dhó as. Ar feadh neomait bhí sos ann.

Bhí glúna na máthar ar an leac chruaidh, a droim chomh díreach le riail, agus a haghaidh ardaithe chun pictiúir an Chroí Naofa os cionn an tsuíocháin. Bhí Séamas Mór ar chathaoir, a mheáchan ar a dhá uillinn. Ag bun an staighre a bhí an Saighdiúir, a éadan ina bhois. Bhí an fhuinneog ag dorchú.

Go mall réidh thosnaigh bean an tí an Choróin. Bhí a glór gléineach maorga mar ghlór seanmónaí. I ndiaidh an chéad Ave baineadh stad aisti. D'fhreagair Séamas Mór go borb tapaidh neamhómósach mar ba ghnáth leis. Ach níorbh ionann anocht agus gach oíche eile. Bhí glór bog doimhin ag teacht ó bhun an staighre. Bhí na focail á rá go soiléir cruinn ach go híseal umhal.

Nuair a bhí an Choróin críochnaithe chuir an Saighdiúir an staighre in airde de gan fothram mar ba ghnáth leis. Ach chomh beag le haon oíche eile ní dhearna sé é féin a choisreacadh. Lean an bheirt eile ag guidhe chucu féin. Nóra ba thúisce a éirigh. D'fhan sí tamall ag féachaint le hionadh ar Shéamas. Bhí sé in aon mheall amháin sa leathdhorchadas. Thosnaigh sí ag coigilt na tine go sásta.

UPARNELL !

AMACH FAOIN ÁIRSE ag taobh an tí ósta a
tháinig sé. Ar dtúis níorbh fhollas ach a hata dubh
agus a fhéasóg chlúmhach. Ansin tháinig an lámh
chlé ag déanamh taca leis an gcúinne—lámh sheirgthe
chnapánach a bhí breac le méirscrí céireach. Bhí stumpa
de bhata gearr ina láimh dheis agus bhí a chabhail crom-
tha, i dtreo go raibh an seangheabairdín liathshalach ard-
aithe suas taobh thiar. Bhí braon ólta aige mar ba ghnáth
leis gach aon lá pinsean agus déarfá go raghadh sé dian
air an baile a bhaint amach. Thug sé aghaidh soir, a lámh
chlé i gcoinne an fhalla fós. Ansin thug sé sonc dó féin
agus bhog sé amach ón bhfalla díreach mar bhogfadh
bád ón gcé. Bhí sé ag suathadh anonn is anall ar nós
crainn an bháid os cionn mionthonntracha neamhrialta.
Ach bhí siúl breá faoi. Suathadh mór dá bhfuair sé faoi
dheis chuaigh sé amach thar imeall íseal an chasáin agus
baineadh barrthuisle as. Ba mhaith an mhaise dhó gur
ar an taobh sin de a bhí an bata mar tháinig sé roimhe
agus dhírigh thar n-ais é. In ionad tarraingt siar thug sé
aghaidh go misniúil ar lár an bhóthair. Chuaigh gluais-
teán thairis ag stracadh fan na ceirbe. D'ardaigh sé a
cháibín chun lucht an ghluaisteáin agus baineadh tuisle

eile as. D'fhéach sé go míchéatach ar an mbóthar réidh
a bhí fána chosa. Thug sé cúpla coiscéim eile ar aghaidh
agus stad sé. Bhí bean liath ar rothar ag déanamh air agus
an cloigín á bhualadh aici go grifileánach. Chúlaigh sé
as an tslí agus bheannaigh go hómósach lena cháibín.
Chuimil cótaí na mná den hata agus scréach sí. Chuaigh
an rothar ó thaobh taobh go meisciúil, ag coimeád ama
le dhá chois agus bata an tseanduine a bhí ar a ndícheall
ag iarraidh bonn a fháil. 'Uparnell' a scairt sé go spiorad-
úil agus é ag iarraidh fuaidreamh a chos a cheilt. Gháir
sé chuige féin. D'ardaigh a mheigeal amach agus tháinig
a ghruanna agus a mhalaí chun a chéile, i dtreo ná raibh
ina aghaidh uile ach rollamán clúmhach, fáibrí in ionad
na súl agus roc caol fada mar ba cheart an béal a bheith.
Ba léir faid sa scroig mhuinéil agus téadáin shnadhmtha
cruadha ag éirí sa tseithe. Bhí sé á dhíriú féin go díom-
asach. Thóg sé a bhata chomh hard agus bhí ina ghuala
chrapaithe. Liúigh sé :

'Uparnell agus Davitt, agus sa diabhal go dté Cití ó
Sé!' Fuair sé barrthuisle eile, thóg coiscéim agus lean
air : 'Ní dhíolfaimid aon chíos ach cíos cóir. Ceart dom,
ceart duit ! Parnell an fear !'

Cléirigh chainteacha sna siopaí, thugadar stracfhéach-
aint tríd an bhfuinneog agus ansin, ag caochadh súile go
heolach ar an gcustaiméir, dúradar ag míniú an scéil :
'Tá an caibléir ar na stártha arís.'

Bean liath an rothair a bhí ag déanamh gearáin le
garda i bPlás an Bhainc ní bhfuair sí de thoradh ach
croitheadh slinneán agus 'Tá's agam. Tá an caibléir ar
na stártha arís.'

Chuir an seanduine de soir, a chosa ag imeacht uaidh agus ag teacht chuige, é ag stop agus ansin ag dul ar aghaidh arís ar fiarlóid ó thaobh an bhóthair, agus é ag síorfhógairt, ' *Uparnell*.' Bhuail a ghlór i gcoinne fallaí daingeana na príomhshráide agus tháinig thar n-ais i bhfoirm mhacalla. Ag ceann na sráide sin d'iompaigh sé síos Lána an Gheata gan stad de liúirigh. Ní tháinig an macalla thar n-ais a thuilleadh. Bhí fallaí na dtithe beag róshuarach. Bhain a ghlór critheán astu. Anseo agus ansiúd bhí pluaiseanna briste sa slinn mar bheadh béil ar leathadh le sceon.

Bhí a phort ag athrú beagán. Bhí sé ag tromaíocht ar lucht phlátaí an líorac agus ar lucht scríobhtha na gcorcán. Ach ba é deireadh a roilleadh cainte, ' Ní díolfaimid aon chíos ach cíos cóir ! Ceart dom, ceart duit ! *Uparnell, Up Davitt*, agus sa diabhal go dté Seán Dearg.' Do ghluais a ghuth trí bhearna oscailte an Gheata Mhóir ; thar fuinneoga Gotacha an *Lodge* i dtreo gur chriothnaigh na pánaí diamaint iontu ; trína crainn scáinte giúise ar dhá thaobh an chasáin ; thar an bhfásach fiáin de labhras, ródódandrain, cuileann, pribhéid agus bruscarnach beithe a bhí ag fás faoi na crainn ; suas thar an sceanairt d'fhálta buí a bhí ag folachadh na faiche go dtí fothrach liathdhubh an Tí Mhóir féin. Chorraigh cág sa phinniúir dhúdhóite.

Bhí d'éagantacht sa tseanduine nár thug sé aon ní de na nithe timpeall air faoi deara. Bhí taibhreamh breá i seilbh a chroí. Chonaic sé os a chomhair an ré uaibhreach a shamhlaigh sé bheith i ndán don tír. Buantseilbh ag gach tionóntaí, agus é ag saothrú agus ag déanamh maitheasaí go mbeadh a ghabháltas chomh leagtha amach le gairdíní na bPonsons ; brúnna aolda ag lucht na mbothán; toir shíorghlasa timpeall orthu, casáin bhearrtha, cuiríní, subha craobh, agus oiread sin crann úll ná bacfadh na garsúin féin leo. Ní cuirfí an dlí feasta ar aon gharlach i dtaobh a shrón a sháitheadh trí bharraí an Gheata Mhóir ag iarraidh lán súl a bhaint as na breáthachtaí istigh. Bheadh a gcothrom siúd de bhreáthachtaí amuigh, mar nárbh eol do chách gurbh í an tír seo an tír ab fhearr ar domhan dá bhfaigheadh sí a ceart. Bheadh ár ngaolta thar lear ag filleadh abhaile chun a gcion féin den saibhreas ; arm agus cabhlach cogaidh againn, sea, agus b'fhéidir impireacht. Taibhreamh breá d'ógánach, taibhreamh ait do sheanduine, ach ní gnáth milleán ar fhear meisce.

B'é an meisce céanna, agus na taibhrithe a lean é, fá ndear don ghréasaí a chúl a thabhairt lena chine féin agus é óg. Tacaí le tiarna ab ea na Cróinínigh in aimsir Aogáin féin. Saol crua corrach a bhí acu ag eadarghabháil idir tiarnaí agus tionóntaithe. Nuair bheadh an máistir bog-bheathach nó i gcéin ó bhaile thagadh borradh faoi na buachaillí baitín. Bhíodh airgead acu, capaill ráis agus cultacha marcaíochta. An duine acu bheadh ina phríomh-bháille dhéanfaí aidhbhéardaí dhe. Bheadh sé ina ' uasal.' Ach le barr dúil i ragairne, in imirt agus i mí-ádh an tsaoil thitfeadh sé arís. Maidin éigin dhúiseodh sé agus in ionad an tsaibhris go léir is é bheadh aige carn billí. Ní chuirfeadh sin lagmhisneach ar aon Chróiníneach ámh. Má b'fhíor ná bíodh acu ach ' sodar i ndiaidh na n-uasal ' an lá b'fhearr a bhídís, nuair bheireadh an lagthrá orthu

M

bhídís fós ar dhroim na mbocht agus cumas acu breab a fháisceadh a dhíolfadh ús na bhfiacha dá airde iad.

Bhí fodhuine acu d'éirigh tuirseach den chlampar saoil lenar tógadh é agus a tharraing athrach ceirde air féin. I ndiaidh an drochshaoil thug Diarmaid Rua suas an bháilleacht a bhí aige agus chuaigh go Meiriceá. Rinne sé airgead thall ach d'iompaigh sé amach ina Fhínín buile. Ba mhór an chúis náire é dá ghaolta sa bhaile, go háirithe dá dheartháir Seán Rua, an príomhbháille. Bhí lána an Gheata lán de Chróinínigh san am sin. Bhí cuid acu ina riarthóirí coille, cuid eile i bhfeighil an ghéim agus iasc na n-abhann, cuid acu deargdhíomhaoin go mbíodh gnó ag an tiarna dhíobh; agus iad go léir ag éisteacht agus ag síorfhaire féachaint a dtiocfaidís ar aon phonc eolais a thuillfeadh duais dóibh. Deireadh daoine ná raibh Domhnall Breac ó Cróinín go holc. Úmadóir ab ea é agus gan de ghnó aige ach gléasra capall na bPonsons a choimeád i bhfearas. Aon mhac amháin a bhí aigesean. Ní raibh sé ach sna déaga nuair cailleadh an t-athair agus chuir a mháthair ag foghlaim gréasaíochta é go dtí a colceathar féin, Liam ó Niadh i gCnoc Ruaidhrí. Do réir nós na haimsire, nuair do bhí a théarma tabhartha aige thug sé a aghaidh ar an saol mór.

Timpeall Mhalla a bhí an cheard ab fhearr sa Mhumhain agus dá chion sin thug sé a aghaidh soir ó thuaidh. D'fhoghlaim sé tuilleadh sa cheantar sin seachas snas na ceirde. Is ann is túisce rinne sé caidreamh le daoine gur scorn leo plátaí aon ridire a líorac. Chuala sé ag trácht iad ar Mhícheál Daibhéid, ar Pharnail, ar Dhiarmaid ó Donnabháin Rosa, ar an Stíofánach, agus ar a uncal féin

Diarmaid Rua a bhí ina Fhínín mór le rá i mBoston. Sa bhaile bhíodh drochamhras air de dheasca a shinsearacht. Fána malaí fhéachadh daoine air nuair castaí air iad. Dá mbeannaídís dó ní bíodh ann ach sin. I Malla ámh bhí ardmheas air ó bhí ainm fhir Bhoston mar theastas onóra aige. Bhíodh fáilte roimhe ar fhaiche imeartha, ar chomhthalán, agus i dteach an óil. Ní raibh aon Chróiníneach riamh ná raibh súgach, réidhchainteach dea-thabhartha amach. Ba ghearr go raibh an gréasaí óg ina chaighdeán acu, ní i gcúrsaí spóirt amháin ach i ngluaiseacht na saoirse. Nuair a bhí gach éinne ag ullmhú i gcóir an lae go mbeadh an cruinniú ag Parnail i gCorcaigh thogh na fir óga an gréasaí mar fhear tosach buíne.

Lá mór i gCorcaigh ab ea lá an chruinnithe. Tháinig lán trí thraen ó Mhalla ann. Ba bhreá an radharc iad le méid a meanma agus a ndóchais. Bhí hata carailíneach ar gach fear agus casóg eireabaill de bhréid mhín dhúghorm. Bhí bríste glaschaorach ar chuid acu, agus bríste glan cordaraí ar an gcuid eile. Ar a n-ucht bhí clár glégeal stailce agus a gcufaí ar an dul céanna. Bhí culaith nua ar an ngréasaí ó bhaitheas go bonn. Bhí a chordaraí geal nite mar an sneachta. Ina theannta sin bhí péire bróg smidithe air de shaothar a lámh féin a raibh leathar bog mín iontu nár ghnáth ach ag geocaigh. Ní miste a rá go raibh dealramh duine uasail air. Ní ón ngaoith a thug sé an uaisleacht leis. Ná raibh a shinsearacht ina ríthe i bhfad sar ar éirigh na Ponsons chun bheith ag dó fíoghuail do ghaibhne Chromail ?

Ag áit an chruinnithe bhí dhá líne marcach tarraingthe suas in ordú catha agus bóthar eatarthu ó chúinne na

cearnóige go dtí an ardán. Bhí sais glas ar gach fear agus
brat glas Hibernia ag foluain os a gcionn. Bhí an slua
go glórach gáireach ag brú, ag sáitheadh agus ag tarraingt
siar. Ina súile bhí loinnir dhóchais. Bhí tuilleadh fós ag
teacht : mórbhuíonta, bannaí ceoil i dtosach orthu ag
seinnm foinn náisiúnta. Nuair shroichidís imeall na
cearnóige stadadh na ceoltóirí, bhainidís anuas a bpíobaí,
agus nuair fhéachfá arís ní fheicfeá aon phioc díobh ach
iad sloigthe sa tslua. Ba ghearr nár fhéad éinne corraí de
bharr brúite. Chuaigh feidhmeannach ar an ardán agus
d'fhéach ar gach aon ní ann. D'aistrigh sé cathaoir blúire
beag. San am céanna bhéic duine éigin i measc an tslua
amach :

'Seo chugainn é ! Tá an Taoiseach ag teacht !'

Bhí an slua ag iompáil i ngach treo féachaint an bhfeic-
fidís é. Labhair trompa ag fógairt na bhfáiltí. Lena linn sin
fuaradh radharc air féin agus ar na fir mhóra bhí in éine-
acht leis ag teacht suas idir an dá líne capall. Do thóg
an slua gáir a bháith an ceol. Bhíodar go léir ar a mbairr-
icíní agus cíocras ina súile. Ní bhfuaireadar ámh de
shásamh ach giota dá hata fheiscint anois, nó bannlámha
dá aghaidh, agus arís cúinne a ghualann. Thóg sé i bhfad
air an t-ardán a shroichint ach nuair a shroich, agus nuair
a chonaic an slua é ina iomláine, chuadar le craobhacha.
Raideadh na carailíneacha sa spéir. Suathadh bratacha
agus bataí glasa. Buaileadh basa agus scoilteadh an t-aer
le hurrá molta. Shuigh an Taoiseach láithreach baill gan
an slua ná an liúireach a chur i suim. Choinnigh sé a
chabhail go díreach maorga ach bhí a shúile ar an talamh
coitianta. Ní aithneofá air ná raibh sé ina aonarán san

uaigneas.

Bhí na cainteoirí leadránach agus is ar éigin éist éinne leo. Bhí siosma mífhoighneach á ardú ag an slua. Sa deireadh tháinig an t-am. Ghlaoigh fiche míle scornach ar aon ainm. I dteannta a chéile stadadar. D'éirigh sé agus de thruslóg bhí sé ag imeall an ardáin. Stad an slua dá n-anál. Chloisfeá an brat ag cnagarnach sa leoithne gaoithe. Ansin d'éirigh an glór a bhí chomh gléineach le faobhar scine.

'A mhuintir Chorcaí, cuirigí le chéile. Seasaigí sa bhearna dá chéile. Ná ligeadh an chuid eile agaibh do ridire ná do thiarna cos ar bolg a dhéanamh ar an éinne amháin. Bígí dílis agus tiocfaidh an lá—ní fada uainn é— a mbeidh bhur gcinniúint in bhur lámha féin. Coinnígí greim dúid ar bhur ngabháltaisí!' Ghaibh draíocht mhire an slua. Shamhlaigh an gréasaí óg go raibh meisce ag éirí ina cheann bhí a shúile chomh dall sin ag dóchas.

I ndiaidh an chruinnithe nuair thóg sé cúpla deoch bhí sé ar meisce dáiríre. In ionad dul thar n-ais go Malla thóg sé traen abhaile go Cill Mhoirne. An gasra tháinig amach ag an stáisiún ina theannta ní bheadh aon bhaint acu leis. Bhuail sé an tsráid síos go huaibhreach ina aonar. Ba leor mar chomhluadar leis an taibhreamh bhí ina chroí. Níor chuimhnigh sé ar an gculaith scléipeach a raibh sé chomh mórálach aisti ar maidin. Níor chuimhnigh sé ar an duille eidhin i mbanda a hata. Ach thug muintir Chill Mhoirne faoi deara iad. Tréigeadh an tsráid roimhe. Ghaibh sceon na siopadóirí agus dhaingníodar a ndoirse. Rugadar a gcustaiméirí siar sa chistin, ag míniú dóibh go raibh na *moonlighters* chucu.

'*Uparnell ! Up Davitt !* ' a liúigh an fear buile sa tsráid folamh. Bhí fodhuine i measc lucht na dtithe gur bhinn leo an glao sin, ach níor thaispeáin éinne acu é féin. Bhí iomad drochamhrais acu ar Chróinínigh. Ghluais an fear soir go mómharach síos go cúinne Lána an Gheata. Lig sé liú as a chorp :

'*Uparnell ! Up Davitt !* Agus sa diabhal go dté Seán Rua.' Ghabh scanradh na tithe ar dhá thaobh an bhealaigh óir ní raibh a dtarbh tána, Seán Rua, ag baile. Ghluais macalla sceoin uathu suas tríd an geata ornáideach—thar fuinneoga Gotacha an *Lodge,* suas an casán piocaithe, tríd an labhras, trí na ródódandrain, idir na crainn ghiúise, gur shroich sé an doras práis i halla an tí mhóir. Chuir lucht an tí mhóir scéala chun na beairice ach níor ghá é, mar bhí an méirleach gafa cheana féin ag beirt de bhaill oscartha an dlí.

BLIMEY ! PEAIDÍ GAELACH EILE !

BHÍ sé cortha de shaol na gcnoc. D'imeodh sé leis thar farraige mar a raibh airgead mór le tuilleamh ag an té bheadh imníoch. Sin é an chúis go raibh sé ar a rothar ag cur bóthar an Chuimín síos de. D'fhágfadh sé a raibh ann ag na cáig . . . .

Bata ar lár i mbearna an chnoic. Aon uair go dtí seo thiocfadh sé anuas—le seantaithí bhí an lámh ag dul ar an gcoscán—ach an turas seo níor ghá é.

— Féadfaidh Pead Pheadair an bhearna dhúnadh nó oscailt feasta mar is maith leis é, ar seisean, beagán teasaí. Bhí dúil ag stoc na bPeadar riamh ina chnocsan. Saor go leor a scaoil sé an fhosaíocht chucu sa deireadh ach gheall Pead go gcoinneodh sé súil ar na caoirigh a bhí fós sa tsliabh. Ní ró-éasca a thiocfadh sin ar an duine bocht agus é millte ag an gcois sciaitice.

Mar le maidin fhómhair bhí an donas le fuaire air. Gaoth íseal aniar aneas ó Inbhear Scéine ag breith sa bhráid air. Agus chaithfeadh sé gabháil mall le fána síos mar bhí an mála éadaigh leathfholamh ag seinnm *Ó Domhnaill Abú!* ar an iomparán taobh thiar. An diabhal go scrabha Diní Pheadair, a áitigh air a chomhmór de cheann a cheannach. Níorbh ionann don bheirt acu. Fear mór léinteacha agus scléipe ab ea Diní. Ina theannta sin bhíodh sé ag breith rudaí anonn leis chun lucht aitheantais thall. Agus bhí aithne aige ar mhórán mar ná raibh aon teora leis chun a shlí a dhéanamh. Bhí an t-ádh bán le héinne go mbeadh Diní mar eolaí aige ar a chéad gheábh anonn.

Choinneodh Pead an rothar sa scioból go Nollaig. Ní cuirfí isteach ná amach air ansiúd. Dá mba i dteach páistí fhágfadh sé é bheadh sé ina smidiríní roimhe. Ní fhéadfadh Pead dul go dtí an tAifreann féin air agus an chuma go raibh sé ag an sciaitic.

B'ait bheith ag scríobh litreacha chun Pead. B'aite fós Pead a bheith ag scríobh ar ais agus a fhios ag an saol ná raibh ann ach dúramán agus é ag dul ar scoil. Ina dhiaidh sin bhí taithí aige ar bheith ag scríobh chun Diní. Ní dócha gurbh fhíor in aon chor go scríobhadh sé chun iníne Sheáin Ghoib ? Nach beag an chiall a bhíonn ag seanghamhnaigh mar é bheith i ndiaidh na mban is breátha agus is óige i gcónaí ? Fan anois ! Má bhí sé féin agus Pead sa rang céanna ar scoil ní fhágann sin ná raibh uimhir mhór blian eatarthu. Agus bhí bua siúil sa tsliabh fós aige agus Pead ar iontaoibh a bhata. Éagóir mhór ab ea iad a chur i bhfochair a chéile fán acht céanna. Dá mb'é a athair dílis féin é, go ndéana Dia trócaire air, féach cad dúirt sé agus é ar leaba a bháis :

— Ní móide go bpósfaidh Micil seo agamsa choíche ná Pead Pheadair thíos ach chomh beag leis.

Tosach na spreabhraídí ab ea an méid sin, dar ndóigh. Riamh roimhe sin níor thrácht an t-athair ar phósadh. Shamhlaigh sé i gcónaí gurbh fhearr leis an athair ná

182

beadh aon bhaint aige le mná. B'fhada go ndéanfadh sé dearmad ar an gcéad oíche a chuaigh sé go halla an Phoill Ghoirm. Nuair fhill sé amach sa deireannas bhí an t-athair fós os cionn na luaithe ag feitheamh leis.

—Cad a choinnigh chomh déanach seo thú, a bhuachaill ? Cá rabhais go dtí an tráth seo d'oíche, nó cé fhan suas leat ?

Sea agus maidin Luain eile tamall beag ina dhiaidh sin agus é ag teacht an staighre anuas nár ardaigh a mháthair, beannacht Dé léi, a bhróga ina choinne, leidhcíní boga siopa do bhí múchta i bploda.

— Féach air sin duit,' adúirt sí go searbh, ' féar glas Inse na bPuirséalach fá ruibéar na sála sin.

— Ach—

— Airiú ná bí am thrasnú nó an amhlaidh mheasfá áiteamh gur thiar anseo ar an gCuimín a bhailís na brobhnacha boga úra seo ?

Ní raibh de locht ar na Puirséalaigh ach go rabhdar ábhairín fiáin. Máire an té ab fhearr acu. Bhí sí lán de chéill agus gan aon teora léi chun gnótha ar margadh nó sa bhaile. Más ea phós sí fadó agus bhí a clann anois ag dul ar scoil.

Ó d'éag a mháthair thuig sé go maith cad a chiallaíonn gnó cistine. Troime na hoibre amuigh air chomh maith, agus an seanlead ag dul i gcríonnacht. Na ba bainne fá deara an marú go léir—ní cheadódh sé siúd aon cheann acu a dhíol ar eagla go mbrisfí iad, mar dhea. Ba obair in aistear bheith ag iarraidh a chur ina luí air ná déanfaí aon airgead go brách arís as im sléibhe. Níorbh aon chabhair bheith ag taispeáint dó talamh Mhuintir

Shuibhne agus gan aon churaíocht ann ach seascaigh ar fad—ná talamh na mBúrcach, ná na fichidí eile talamh. Agus nuair bheifeá bréan den rámhainn agus den ghrafán agus den speal agus go dtosnófá ar áireamh na bhfear go léir a bhí tar éis iad sin a chaitheamh uathu agus imeacht ar thóir na páighe móire i Sasana is beag ná go raghadh sé le craobhacha.

— Nach cuma sa diabhal duitse, a bhuachaill, cad tá acu i Sasana. Ní fhágfaidh an áit seo aon ocras ort an fhaid ná cloífir tú féin le leisce. Geallaim duit nach ar bharr copóg a gheibhid siúd an t-airgead thall ach go mbíonn orthu é thuilleamh le hallas a sláinte, a bhuachaill. Ansin tar éis aga machnaimh : Cad chuige an dóigh leat gur rinneas féin agus m'athair agus m'uncal an saothrúchán seo go léir atá id thimpeall ? Chun go bhfágfása id dhiaidh é ag na préacháin ! Aon seacht mbliana amháin gan iad d'oibriú agus bheadh gach aon pháircín acu seo chomh fliuch leis an móinteán fiáin amuigh, agus bheadh an fraoch agus an tseisc go béal an dorais againn mar a bhí an chéad lá a thángamar ann. Cruatan ! Airiú nach bog a thagann an craiceann ort, tusa ná faca aon phioc de. Ansin d'imíodh sé leis, a cheann san aer agus an píopa á thréantharraingt aige ; gach aon tuisle á bhaint as ag clocha agus ag tortóga agus gan aird aige orthu.

Nuair a bhíodh sé ar an gcuma sin níor ghnáth le héinne é thrasnú ach d'éireodh cogar beag ó na seanchomharsain dá mbeidís ann ; cogar ómóis óna dtuigfeá gurbh fhíor í caint an chruatain sa tsaol fadó, agus ná raibh aon dream ba ghéire ghoin sé ná muintir Shúileabháin ; an chuma

ar cuireadh amach iad tar éis iad féin a shábháil na
gcéadta ar chur amach. Micil ! Ansin d'iompódh súile
fadradharcacha na sean-sléibhteánach siar ó dheas treo
Neidín.

— Is bocht an ní a bheith curtha sa Cheallúraigh.

— Ní hé sin ba mheasa ach an bás gan sagart.

— An t-anbhás.

— Deireadh na Moonlighters gur thógadar an tAthair
Ó Coill siar leo chun urnaithe na marbh a rá os cionn na
huagha.

— Nár dhian an dlí é ag an easpag.

— Bhí aithne mhaith agamsa ar Mhicil. Ní raibh cor
ann.

— B'fhéidir gur go Limbo a sáitheadh é i dteannta na
leanbh gan baisteadh.

— Airiú éist !

Chrith fear an rothair i dtreo gur imigh an rothar ar
guagadh tamall. Bhí fuacht na maidne ag dul trína
chliabh. Breá gur glaodh Micheál air féin i ndiaidh an
uncail a bhí i—i Limbo. B'ait nár mhothaigh sé breis
laochais ann fhéin. Agus a athair ina laoch chomh maith !
Fear ná raibh aon ní ar a bhéal ó cheann bliana go ceann
bliana ach sciathóga prátaí agus puint ime. Ní fhacthas
aon dílseacht ann muran dílseacht don dúsclábhaíocht é.
Nuair a molfaí dhó gur cheart aistriú sa talamh íseal
mar a bhféadfadh duine inneall bainte oibriú agus céachta
rotha a chur suas is amhlaidh a spriúchadh sé ;

— Dí céille a dhuine. Ab áil leat go mbrisfí sinn ?
Nach eol duit an t-ualach cíosa atá sa mhullach orthu
thíos ansiúd ? Dhá scilling déag an t-acra agus gan orainn

anseo ach réal! Féach an Caragánach : an fheirm is breátha i nGleann na Ruachta aige agus ná féadfadh aon bheithíoch a shrón a chur i dtalamh ann le heagla roimh bháillí.

Níorbh é an leathchíos, dar ndóigh, a bhris an Caragánach ach comhgar an óil. Bhí an seanlead dall ar chúrsaí an tsaoil. Ina dhiaidh sin níor mhór admháil go raibh an ceart aige nuair ná tógfadh sé roinnt céadta punt sa bhanc chun an Charagánaigh a cheannach amach. B'fhearr go mór an t-airgead tirim ar do bhois agat. Sin é an chúis go raibh sé féin ag rothaíocht síos go teach na bPeadar ar a shlí go Sasana. Dá rithfeadh leis dhá chéad nó trí a chur i dteannta an mhéid a bhí aige, agus luach na gcaorach agus pé méid a gheobhadh sé ar an seanáit, d'fhéadfadh sé aghaidh a thabhairt ar aon cheant a thiocfadh suas in Inse an Ghleanna. Nó b'fhéidir gur soir i dtreo Mhalla a thabharfadh sé aghaidh mar a rinne muintir Shíocháin. Nó tharlódh gur siopa a chuirfeadh sé suas sa tsráid. Is túisce go mór a phósfadh na mná atá anois ann fear siopa. Ní bhíonn aon chailín ag obair sa bhaile mar a bhíodh iníonacha an Phuirséalaigh ach iad go léir ina nursanna i Sasana. Dá mbeadh fios a gnótha ag bean acu ní hiarrfadh sé puinn spré léi. Ba mhór an scrupall, ámh, toradh a dhíchill a chaitheamh le giobstaer ná beadh d'aidhm sa tsaol aici ach í féin a mhaisiú. Agus mura bpósfadh sé cad a bheadh roimhe ? Sin í an fhadhb ! Cad chuige ar cuireadh ar an saol seo sinn ?

Bhí sé fuar, agus cioth ag bagairt ar mhullach Mhangartain. Bhí an spéir liath ag líonadh thiar os cionn na Ceallúraí ach níor ghnaoi leis féachaint an treo sin. Cad

chuige ar cuireadh Uncal Micil ar an saol ? Chun a anam
a íbirt ar son sealúchas na gcomharsan agus anois clann
na gcomharsan céanna ag bailiú leo go tiubh. Daor a
ceannaíodh na seanáitreabha chun bheith á bhfágaint ag
na cáig. Ach ná fuil ceart ag gach éinne an phingin bhog
a thuilleamh ? Cuma cad chuige gur cuireadh anseo sinn
ach réitíonn an t-airgead gach aon bhealach.

Greannmhar na rudaí easpaig leis ; na fir atá anois
againn tá siad chomh holc leis an seanlead ag iarraidh
gach éinne a choimeád sa bhaile. Ach is dócha ná bíonn
siad dáiríre ar fad. Dála na n-uasal a casadh air féin agus
ar Phead Pheadair sa Mheitheamh thuas os cionn an
Phunch Bowl. Bhíodar ag maíomh leo aoibhneas saoil
an fhir sléibhe agus ag gearán cáis an té a chaitheann an
bhliain i ngeimhleacha ag binse oifige.

— Dar mo leabhar, arsa Pead, gur maith a raghadh oifig
thirim ghlan dom chois sciaiticese. Nuair a thairg sé
malartú le haon duine acu ní dhearnadar ach gáirí. Bhí
fhios ag Pead go maith ná bíonn a leithéidí siúd dáiríre
riamh. Dá mbeadh móin fhliuch le crucadh acu, garraí
le spraeáil, na clathacha sa ghort ar lár ag na caoirigh
bhradacha, geallaim duit ná feicfidís puinn aoibhnis sa
Chuimín . . . ní áirím lá na tuile, mar ná mairfidís ina
dhiaidh.

Ós ag trácht ar áilleacht é, b'éigean dó admháil go
raibh rud éigin an mhaidin seo i leabhaireacht an ghleanna
a tharraing sreangán a chroí. Bhraithfeadh sé uaidh an
abha agus Easach an Mhadra. Ach thar gach ní eile
bhraithfeadh sé uaidh mullach uaibhreach gorm na
Mangartan. Chun na fírinne insint ba shuaimhneasaí

bheadh a aigne ach a Wellingtons a bheith air agus é ag imeacht de thruslóga rábacha an cliathán suas. Mura gcuireadh sé stop leis féin is gearr go mbeadh sé chomh holc leis na himircigh eile. D'fhéadfadh sé é féin a shamh- lú, culaith ghalánta air agus é i lár gasra i *snug* Sheáin Ruairí :

— Deamhan mé, tá an saol siúlta agam ach go ndalltar mé má faca aon radharc is áille ná radharc mo thí féin agus an Chuimín ó Dhroichead an Easaigh.

Scaothaireacht den tsórt sin a bheadh ar siúl aige mura dtugadh sé aire dhó féin. Níor mhór anois gan ligint d'éinní den tsaghas sin sleamhnú isteach ina chuid lit- reacha chun Pead. Ba thúisce leis bheith marbh ná bheith mar bhíonn cuid de na himircigh. Ina dhiaidh sin thabharfadh sé an leabhar go raibh Cnoc an Éin thall ag faire air le dúil chairdeasa. Bheadh dreach uaigneach ar Chill Mho Cheallóg ach chun í fheiscint níor mhór féachaint thar an gCeallúraigh. Mór idir Micil agus Mícheál. Go dtí an mhaidin seo níor mhothaigh sé i gceart cad a chiallaigh a uncal a bheith ina laoch. Níor shamhlaigh sé dhó ach dála na fíre eile úd go raibh a shinsear ina ríthe ar Dheasmhumhain. Maidin inniu, ámh, mhothaigh sé spreagadh beag den lonn laochais. D'fhéadfadh sé aghaidh a thabhairt ar namhaid nó buille tréan a bhualadh ach go mbeadh gá leis. Thaispeánfadh sé dílseacht chroí dá mbeadh aon chomharsa i mbaol a churtha amach. Paidir ghearr a chur le hanam Mhicil ! Cead ag Dia glacadh léi nó gan a glacadh ! Thaispeánfadh sé do Dhiní Pheadair agus dá bhfuil ann de na Sasanaigh nach aon dóigh iad Súileabhánaigh an Chuimín ach go

188

gcuirtí chuige iad.

B'sheo radharc an tí agus Pead san iothlainn ag gléasadh an chapaill.

— Horú a Mhaidhc, nach luath atáir ! Ansin lig sé glam gháirí as : Ach is dócha go mbíonn fonn ar dhuine an chéad uair.

Mar do chloisfeadh sé an chaint tháinig Diní go dtí an doras ina léine agus a ghealasaí ar sileadh leis. Bhí rud éigin á thochas aige i gcúl a chinn. Stad sé, ag féachaint ar Mhícheál, á iniúchadh mar dhéanfadh breitheamh le bullán ag seó. Thug sé fá deara boinn throma a bhróg ; na málaí glún, an tarr leathan, an bheast agus an slabhra airgid uaireadóra. Thug sé fá deara suíomh ard an chaipín agus an chuma go raibh an bóna ag seasamh amach ar úll na scornaí. Do chrith an beol íochtair aige le neirbhís mhagaidh. D'fhéach sé ar an máilín éadaigh—an chuma go raibh sé ceangailte ar an rothar le buaraigh. D'imigh an cháir fhonóide dhe agus do tháinig ina ionad scamall a bhí idir bheith ina thrua agus ina dhéistean.

— Blimey ! ar seisean fána fhiacla, seo chugainn Peaidí Gaelach eile !

— Cad dúrais, nó—an bhfuil aon ní bun os cionn ?

— Ó an diabhal faic, arsa Diní, agus bhí sé chomh croíúil agus bhí riamh. D'iompaigh sé isteach sa teach arís á thochas féin. Lean Mícheál é go tútach gan iarraidh.

BREATNACH NA CARRAIGE

LÁ MEIRBH i ndeireadh an fhómhair ab ea é. Fear
an phoist a bhí ag sáitheadh an rothair roimhe
suas bóithrín na Carraige ba throm leis an t-aon
litir a bhí ina mhála aige. Chonaic an Breatnach é ón
bportach mar a raibh sé ag cur dín ar chruach mhóna.
Tháinig sé anuas den dréimire, liosta orduithe aige á
raideadh leis an mbeirt stócach, agus thug aghaidh ar an
mbaile ag fógairt os ard go ndíreodh sé féin an bodach
Biní an Phoist agus go gcuirfeadh iachall air a ghnó a
dhéanamh i gceart agus litreacha uile an Bhreatnaigh a
thabhairt an tslí go léir chun an tí.

Ag bun bhóithrín na mBreatnach lig fear an phoist
fead, fead glaice ná raibh ró-ard. Chuala Nóra Rua, bean
an Bhreatnaigh, é agus í ag scaoileadh an uisce as na prátaí.
D'fhéach sí ag lorg Nóirín ach is amhlaidh a bhí an ghearr-
chaile sin cheana féin leath slí síos an móinéar. Dhírigh sí
í féin ag féachaint i ndiaidh óglinbh an tí. Dhá choisín
gheala, racaid ghorm, agus an ceann ba rua sa teach.
Imní ar an máthair go mbrisfeadh sí a cnámha ar an
gcasán anacair. Imní ba mhó ná sin uirthi go gcloisfeadh
an t-athair fear an phoist agus go mbeadh sé anuas orthu
i dtaobh dul ina choinne. Mar phriocadh rud éigin í

d'ardaigh sí an corcán gal-te isteach léi. I gceann neomait bhí sí ag an bhfuinneog féachaint an bhfeicfeadh sí a fear ag teacht. Agus chonaic. Ba léir a cháibín os cionn an chlaí.

'A Nóirín!' a scread an Breatnach. Níor mhiste dhó screadach go hard óir bhí an sciúch go maith aige. Rud eile ní raibh aon duine chun é chlos ach fear an phoist, a bhí um an taca seo ag imeacht síos le fána.

'A Nóirín, cé uaidh an litir?' a bhéic an mháthair chun aghaidh an athar a thógaint di.

'Ní ó Mheiriceá in aon chor í,' arsa Nóirín, agus ba chlos í chomh gléineach agus ná beadh sí ach cúpla slat ó bhaile. Ná níor staon sí den ghéarshodar aníos i gcoinne an chnoic.

'Litir ón nGobharmint?' arsa an Breatnach.

'Sea ón nGobharmint.'

'Oscail í agus léigh í.' B'ionadh le bean na fuinneoige a bhoige agus bhí sé. Tháinig sí ón doras.

'Bhfuil litir tagaithe chugainn?' a ghlaoigh na mic trasna móinteáin, páirce, agus dhá chlaí.

'Tá agus is drochghnóthach an mhaise do mhná an tí seo bheith ag déanamh teachtaireachtaí do Bhiní an Phaca.'

'Hé! Tá an fheirm faighte againn,' a liúigh Nóirín agus í fós i bhfad síos.

'Tá an *farm* againn,' arsa an Breatnach in ard a chinn agus a ghutha.

'Moladh le Dia!' arsa Nóra Rua.

'Hurú,' arsa an Breatnach, 'bhí a fhios agam go bhfaighmis í, ní hionann sinne agus na liairní díomhaoine

feirmeoirí atá thíos i mbun an bhaile.' Leis sin ba chlos
an ' ho-hú ! ' ag na buachaillí ag teacht ón bportach.
Bhí an scéal nua cloiste acu agus shíleadar a gcion den
ghairdeachas a bheith acu chomh maith. Faoi sholas
geal an lae gan cabhair mícrafón ná sreanga, rinneadar go
léir a saorchomhrá liúirí. Mar sin a thángadar i dtreo a
chéile agus i dtreo an tí. Thóg an Breatnach an litir ón
iníon agus ar dhul isteach sa chistin shín chun na mná í.

' Ó a gharsúna,' ar seisean, ag labhairt chomh hard
céanna agus a labhair sé amuigh, ' sé acra déag ar fhichid
de thalamh beatha ! Má rith linn cruithneacht a chur ag
fás ar an sliabh anseo ní fios cá stopfaimid ansiúd.'

' Istigh i lár machaire na Midhe ! ' arsa an mháthair.

' Bhfuil sí faighte againn ? ' arsa Seán, go neamh-
thuairimeach mar dhea.

' Bhfuil sí faighte againn ? ' a liúigh an Breatnach,
'nach shin é atá léite as an litir duit ! '

' Ar an mórbhóthar go Baile Átha Cliath ? ' a cheistigh
Seán.

' Mura bhfuil sí ar bhóthar Bhaile Átha Cliath ní haon
mhaith í,' arsa Tadhg.

' Tá carn airgid á dhéanamh ag muintir Shuibhne ar
bhainne,' arsa Seán.

' Beireann siad isteach don chathair gach aon mhaidin
ar *jeep* é,' arsa Tadhg.

' Tá siadsan ar an mórbhóthar go Baile Átha Cliath,'
arsa Seán. D'éirigh an mháthair ón tine, an t-ursal á
bheartú aici.

' Féadfaidh Nóirín dul ar scoil sa chathair féin,' ar sise,
' níor thug an máistir anseo aon lá dá ceart riamh di.'

' An bhfaighidh mé gúna nua i gcomhair an turais a Mham ? Gheallais dom.'

' Gheobhaimid mórán rudaí a dhalta, agus troscán don teach nua má thoilíonn do Dhaid chuige.'

' A Dhaid, dá gceannaímis an *jeep* anois ba mhór an cúnamh é chun aistrithe,' arsa Tadhg.

' Tá tiomáint againn cheana féin,' arsa Seán, ' d'fhoghlaimíomar ar *thractor* Mhicil.'

' Béarfaimid Nóirín ar scoil gach aon mhaidin linn i dteannta an bhainne.'

' Sin é a dhéanann muintir Shuibhne le hEibhlín.'

' Beidh gach re maidin agamsa agus ag Seán. Ag tiomáint adeirim.' Ach arís d'ardaigh an Breatnach a ghlór os cionn na coda eile. Sheas sé os a gcomhair, a bhrollach ardaithe aige, a ghiall san aer agus scian ina shúil.

' Éistigí liom anois a chlann ó ! Éistigí liom ! N'fheadair éinne cad atá romhainn i gContae na Midhe ach tá a fhios agam an méid seo, nár staon aon Bhreatnach riamh—'

Cuireadh isteach ar a chaint. An corcán prátaí a bhí ag galú ar an tine ó tháinig an litir, chnag sé agus chuaigh an boladh dóite ar fuaid an tí.

II

Ar feadh trí seachtaine ní raibh suí suaimhnis i dtigh an Bhreatnaigh. Dhíoladar ba, caoirigh, féar, móin. Bhí a raibh d'fhearaistí acu pacáilte i mboscaí, agus iad in aice an dorais, ullamh le haistriú. Thug lorg an chloig agus na bpictiúirí dreach uaigneach ar na fallaí. D'éagmais cruitíní bhí na fuinneoga geal thar an ngnáth ach fuar tréigthe. Bhí Nóra Rua traochta tar éis lae fústair. Bhain sé freang aisti cromadh go hurlár agus í ag fliuchadh scíobas tae don chuid eile. Ní raibh aon áit aici do bhoiscín an tae ach ar lic an tinteáin agus an bainne agus an siúcra mar aon leis. Bhí a croí rólán chun gearán. Ná ní raibh focal as an athair ach é ina shuí ar bhloc an iarta, ná as an mbeirt mhac a bhí caite i gcoinne na mboscaí in aice an dorais. Líon sí amach an tae, na mugaí ar an urlár. Bhris sí bulóg i gcantaí agus shín canta agus muga chun a fir. Thug an rud céanna do na buachaillí. Ansin shuigh fúithi, a súile ar an tine. Gan cuimhneamh ar an rud a bhí á dhéanamh aici chrom sí ar arán a chogaint! Bhí sí á mhuingilt ó thaobh taobh ina béal gan aon phioc de a shlogadh. Ná níor bhlais sí den tae. Chríochnaigh na buachaillí a gcuid le hocras na hóige. Gan focal a rá d'imíodar amach agus i gceann neomait chuadar thar an fhuinneog agus iad in airde ar an aon rothar. Go páirc na peile a bhíodar ag dul, don uair dheireannach. Ní raibh Nóirín sa bhaile. Bhí sí thíos sa tsráid ag fágaint slán ag an máistreás a bhí aici suas go dtí an dara rang. Fágadh an Breatnach agus a bhean leo féin. Ise ag muingilt le neamhbhlas agus é sin ag baint gach aon bholgam glórach as an muga. Nuair dhíog sé é scaoil sí amach muga eile chuige.

'Ól braon éigin tú féin a bhean,' ar seisean, 'ní deas an chuma atá ort ansin ag cogaint na círe.' Ní thug sí aon aird air. Ghaibh cuthach é.

'Am briathar,' ar seisean, 'nach aon ionadh seo. An lá ab fhearr a bhí agat bhís id óinsín.' D'fhéach sí air agus

bhí a súile á leaghadh uirthi. Chuir sé an doras amach de.
Shiúil sé roimhe gan aire aige ar cá raibh sé ag dul.
Thug sé cúrsa na feirme. Fuair sé é féin ina sheasamh ag
ceann an ghoirt nua. D'fhéach sé thar claí isteach mar
fhéachfadh gabhar amplach ar gharraí cabáiste. Ghoill
gach brobh féir dá raibh ar an bpáirc air. Gach brobh ar
leithligh ag sáitheadh ina intinn. Dá bhféadfadh sé iad a
shú chuige ! Ba léir arís comhairle na gcomharsan ina
chluais.

'Ní fhásfaidh aon ní ansiúd a Bhreatnaigh.'

'Ní raibh cothú naoscaigh riamh ann agus ní bheidh
id dhiaidhse.'

'Níor cuireadh lámha ar aon fhear riamh a réiteodh an
screalm atá ansiúd.'

Ach réitigh an Breatnach é. Thriomaigh sé, leasaigh
sé é agus chuir sé barraí ag fás air. Anois bhí an gort nua
ina pháirc bhreá réidh ghormhghlas. B'shin méar i súil
na gcomharsan. Bíodh an diabhal ag na comharsain. A
leithéid de phaca fuarthéanna ní raibh riamh timpeall ar
aon fhear. Ba mhór an fhuascailt iad fhágaint. Ach an
gort nua ! Cúig geimhreacha a chaith sé ag déanamh
dréiní ann. An gairbhéal ba chrua-ríne sa pharóiste a
thochailt, b'shin teist ar fhear piocóide. Dul síos a airde
féin in áiteanna. Ansin clocha, clocha, clocha. Clocha
cruinne glasa agus focharraigín go raibh an ceann caol
di aníos. Níorbh obair gan dua gan allas aon taobh acu
a bhaint agus a bhriseadh. Ach bhain an Breatnach iad
uile leis an gcró mór agus leis na spéicí fada cuilinn. Bhain
sé iad agus bhris sé iad leis an ord mór. Agus an léine
fliuch ar a chraiceann bhailíodh ar an drae iad agus

shiúladh le Bob go áit an chlaí. Is iad féin a rinne an claí cumasach. Agus chuir an Breatnach maise thar gach maise air, is é sin, maig néata amach air ina bharr i dtreo ná féadfadh an easóg féin dul dá dhroim. Seo ina aice iad an claí, an mhaig agus na clocha fuara glasa. Chuimil sé a lámha crua dá gcruas. Riamh ó chuir na lámha sin ann iad níor chorraíodar ina n-ionad. Choinníodar amach beithígh bhradacha agus na caoirigh choséadroma ón gcnoc. Is beag gort a théadh saor uathu sin ach chuaigh an gort nua saor. Is ann a bhíodh na barraí breátha. An leasú ab fhearr ón gclós agus ón siopa á leathadh air go tiubh. Agus anois b'é an t-ábhar ba mhó mórála a bhí ag an mBreatnach é. Na comharsain i bhformad leis agus mná na gcomharsan ag cnáimhseáil. Ábhar mórála an fód glan glasuaine. Dúshlán an leithead báin, agus claí na maige á dheighilt ón sliabh. Níor mhór do dhuine bheith aireach air in aimsir tuile agus sruthán an chnoic a choinneáil de. Raghadh an t-uisce faoin gclaí dúshlánach, phlúchfadh sé na dréiní, agus dhéanfadh tonn ar bogadh den bhfód glasghorm. Ba mhór an scrupall a leithéid de réabadh reilige a cheadú, ach cheadódh na comharsain é. Agus bhí na comharsain cheana féin agus iad in adharca a chéile i dtaobh cuid an Bhreatnaigh. Mór an scrupall an pháirc bhreá a fhágaint ag ruidín beagmhaitheasach éigin a dhéanfadh faillí inti . . . . Ba scarúint le ball dá bhaill bheatha don Bhreatnach iompó ón gclaí agus aghaidh a thabhairt ar an mbaile . . . .

An chéad rud eile a lean ina chuimhne ná an stad a rinne sé i ndoras cró na mbó. Áit na ceannainne folamh. Í díolta saor le Diarmaid Sheáin. An Chúbach imithe mar an gcéanna. Agus Coilí, an bhó fhairsing ná líonfadh an saol í, ach go raibh uachtar thar meon ina cuid bainne, bhí sí ligthe uaidh aige inniu féin le Diarmaid Sheáin.

An stábla ciúin. Dá mbeadh Bob ann d'aithneodh sé ag teacht é. Bheadh sé ag pleancadh an talaimh lena chois tosaigh. Bheadh glór ag slabhra an cheanraigh ag rith sa bhfáinne. Dá mbeadh féar uaidh nó deoch dhéanfadh sé seitreach bheag. Ní chloisfidh an áit seo Bob ag seitrigh a thuilleadh. É imithe ag na tincéirí ar chúpla punt táir. Ní raibh dul as. Éinne de na comharsain ní cheannódh é tar éis gur bhreá an capall oibre é i gcónaí. Ní thabharfadh an Breatnach uaidh Bob ar a raibh de chomharsain taobh thíos de. Ní thabharfadh ach ná raibh leigheas air . . . . Agus é lán d'fhearg d'iompaigh sé chun doras an tí.

Bhí an bheirt gharsún tagaithe ar ais agus iad ina seasamh go místuama leis na boscaí ag an doras. Bhí an mháthair ag áit na tine agus a ceann fúithi aici go dobrónach. Nóirín ina luí ina coinne agus gach aon ' A Mhaimí, a Mhaimí ' aici trína gol. D'fhéach sé orthu sa timpeall ar feadh neomait. Bhí tarcaisne ina fhéachaint.

' Tá sibh mar sin agam,' ar seisean, ' agus go deimhin is deas an radharc sibh. Ní Breatnaigh sibh, aon duine agaibh, agus deirim arís nach le boigéis a bhain an mhuintir a tháinig romhamsa ceannas amach ach le cruas croí agus le hallas an tsaothair. Bhínnse ag obair faid a bhíodh na comharsain ag gearán. Sin é an chúis gur domsa a tugadh an *farm*. Ach ó tá sibh mar atá sibh ní thabharfad le rá d'éinne go dtógfainn as ocras na háite seo sibh in aghaidh bhur dtola. Raghad go dtí an bheairic láithreach agus stopfad an loraí. A gharsúna, téigí soir go tigh Dhiarmaid Sheáin agus abraigí leis go mbeidh na budóga sin uainn arís—ar an bpraghas a thug sé orthu. Cuirigí tuairisc na dtincéirí. Caithfear teacht suas leo sar—'

'An é ná raghaimid go dtí an *farm* ?'

'An é ná faighmid an *jeep* ?'

'An é ná féadfaidh Nóirín dul go dtí na *nuns* ?'

'Ó ba mhaith liom dul go dtí na *nuns*. Dúirt an máistreás go mbeadh saol breá agam ina dteannta.'

'Maith go leor más ea. Raghaimid ann, ach cuimhnígí inniu agus amárach nach béas le Breatnaigh bheith ag grágaíl.'

III

An mhaidin ina dhiaidh sin bhíodar ag gol arís. Agus nuair stop an loraí ag an gcrosbhóthar mar a raibh na comharsain bailithe bhí babhta mór olagóin.

'A Nóra Rua, a chroí, taoi ag imeacht uainn agus ní leagfaimid súil ort arís lenár mbeo.'

'A Nóra Rua, a chroí, ba tú an chomharsa cheansa. Níl le casadh leat gur ghlacais riamh páirt in achrann ná i gcúlchaint.'

'A Nóra, a chroí gan dochma, beimid marbh ag an uaignes id dhiaidh.'

'Ná beidh uaigneas ort féin a Nóra ?'

'Is bocht an ní bheith ag fágaint an bhaile.'

'Agus dul go dtí *strange place* a Nóra.'

'Má bhuaileann breoiteacht tú sa *strange place* cé bheidh agat ?'

'Deir siad go bhfuil na daoine síos amach anchoimhthíoch.'

'Ní bheannóidís duit ar an mbóthar.'

'Ghoidfidís an tsúil as do cheann.'

'Ba bhocht an ní do dhuine breoite bheith ag braith orthu.'

'Ach déarfaimid paidir duit a Nóra.'

'Dia linn ! Ní bheidh puinn caothúlacht chun paidreacha agat féin agus tú sa *strange place.*'

Do cuireadh isteach ar an olagón. Ghlaoigh an Breatnach ó bharr an ualaigh. Glaoigh sé ar fhear an loraí agus d'ordaigh dó bheith ag imeacht ó bhí bóthar fada le dul acu. Ag aon chomharsa níor fhág sé slán ná beannacht ach é ag féachaint roimhe amach go dúr doithíosach. Thosnaigh an tiománaí an t-inneall. Go mall réidh lig sé an chrág i bhfeidhm. Bhain an loraí searradh as féin. Bhí ógánaigh agus gearrchailí ann ag síneadh láimh chun an bheirt gharsún. Bhí Tadhg ag gol agus Seán ag cimilt a mhainchille dá shúile. Bhí Nóra Rua agus Nóirín sna trithí dubha caointe. Go mall bhog an loraí chun siúil. Bhí an tiománaí ag tabhairt gach aon chaoi dóibh na sláin a rá agus na héirithe bóthair. B'éigean do fir chomharsan teacht idir na mná agus an loraí ar eagla go mbascaidís iad féin ag iarraidh breith ar láimh ar Nóra Rua. Do dhubhaigh beagán ar ghialla an Bhreatnaigh ach lean sé air ag féachaint roimhe amach. Bhí a fhios aige an ceart a bheith á dhéanamh aige. Bheadh airgead ag an mhuintir a thiocfadh ina dhiaidh. Ba throm í an díolaíocht. Níor ghearrghol ban agus garlach sin. Sásamh a chuireann sé ar a leithéidí siúd bheith ag olagón.

Ná níorbh é an t-uaigneas é a leanfadh go brách de i ndiaidh talamh a shinsear agus an talamh nua a rinne sé féin. Gheobhadh sé an ceann is fearr díobh sin le racht agus le straidhn fheirge. Ach bhí rud ann ná féadfadh an fhearg féin a thabhairt ar ais, rud a chuireadh scanradh le cianta ar mhuintireacha eile na dúthaí sin, rud ná féadfadh an loraí a aistriú léi—mórtas Breatnaigh na Carraige.

Tá na foilsitheoirí faoi chomaoin ag 'Comhar,'
'Feasta' agus 'An Ciarraíoch,' a d'fhoilsigh don
chéad uair scéalta dá bhfuil anseo.

Anne Yeats a dhearaigh an clúdach

Arna chlóbhualadh do
Sháirséal agus Dill Teoranta
ag Ó Gormáin Teoranta
Gaillimh